A Martha, Adriana y Gabriela

Éste es sólo un panorama general de la drogadicción en México, basado en la bibliografía señalada al final y en entrevistas realizadas con investigadores, autoridades y funcionarios vinculados con ese problema, a quienes agradezco enormemente su colaboración. Informes más amplios sobre tratamientos pueden obtenerse en las clínicas y hospitales del sector salud de toda la República mexicana y en el Conadic.

Primera edición: 1999

Producción:

CONSEJO NACIONAL PARA LA CULTURA
Y LAS ARTES

Dirección General de Publicaciones

D.R. © 1999, de la presente edición

Dirección General de Publicaciones

Calz. México-Coyoacán 371

Xoco, CP 03330

México, D.F.

ISBN: 970-18-3749-5

Impreso y hecho en México

Las drogas siempre han estado presentes en la historia de la humanidad, pero nunca antes habían constituido un problema mundial. México es uno de los países donde se registran mayores índices de tabaquismo y alcoholismo y, aunque el consumo de otras drogas todavía es bajo en él, en los últimos años se ha incrementado el de las llamadas drogas duras, sobre todo entre la población considerada de mayor riesgo: los jóvenes de 12 a 25 años de edad. Cada vez más jóvenes mexicanos son adictos a drogas sintéticas prácticamente desconocidas, cuyos efectos son impredecibles. Pero no sólo ellos, sino también un porcentaje cada vez mayor de adultos abusa del consumo de alcohol, tabaco, sedantes, tranquilizantes y otras sustancias.

¿Qué ha pasado con el consumo de drogas?, ¿por qué es hoy un problema de enormes proporciones que afecta no sólo la salud del ser humano, sino todos los ámbitos de la vida social?, ¿por qué se asocia el abuso de drogas con la delincuencia?, ¿cuáles son los grupos poblacionales más afectados y por qué? Algunas de las respuestas a estas interrogantes tratan de plantearse aquí, destacando la contradicción que rodea al consumo de drogas: por un poco de placer o una evasión momentánea de la realidad, se enfrentan enormes dificultades para obtenerlas (ilegalidad), se paga un precio sumamente alto por ellas y quien las consume sufre daños físicos y psíquicos muchas veces irreparables que también vulneran a toda la sociedad.

Experimentar nuevas sensaciones

En la búsqueda de formas distintas de percepción de la realidad, desde tiempos remotos el hombre ha ingerido sustancias que alteran el funcionamiento de su cuerpo y de su cerebro y que hoy definimos como drogas.

En general, desde el punto de vista médico, una droga es una sustancia que, introducida en el organismo humano, puede modificar una o más de sus funciones biológicas y psíquicas.

Para acercarse a los dioses

En su afán de experimentación, el ser humano ha usado a través del tiempo diversas sustancias, primero naturales y después sintéticas, que lo han llevado a explorar desde su interior nuevas sensaciones. El consumo de ciertas hierbas y la fermentación del alcohol han sido constantes en el desarrollo de casi todos los pueblos de la Tierra. Tanto los antiguos griegos como los nativos americanos inhalaban gases y hierbas quemadas en sus ceremonias religiosas para sentirse más cerca de los dioses. En México, Hernán Cortés, observó las experiencias místicas de los indígenas, después de haber ingerido hongos alucinógenos.

Esculapio (o Asclepios), dios griego de la medicina. Detalle de un relieve votivo procedente de Epidauro, en el Museo Nacional de Atenas.

Como medios terapéuticos

A lo largo de la historia, también se han usado las drogas por sus efectos curativos. La mariguana, por ejemplo, se ha empleado como medicina por lo menos desde hace 3 000 años, y los antiguos egipcios la usaban para calmar el llanto de los bebés. El alcohol se utilizaba contra la ansiedad; el tabaco, para tratar heridas ponzoñosas y otras dolencias. A muchas hierbas se les han adjudicado poderes y propiedades terapéuticas para disminuir el dolor y provocar sueño.

Algunas drogas modernas, como la morfina, comenzaron a

consumirse en el siglo XIX para calmar el dolor. Las anfetaminas empezaron a usarse a principios del XX y los tranquilizantes entraron al mercado por primera vez en 1952, para controlar enfermedades mentales como la esquizofrenia. Después se introdujeron los antidepresivos y luego los sedantes. Ahora, hay gran variedad de drogas no sólo ilegales sino legales y de empleo médico para calmar el dolor, la ansiedad y la depresión, conciliar el sueño o mantenerse despierto, y hasta contrarrestar el efecto de otras drogas.

Como formas de control social

Históricamente, también se ha recurrido a las drogas para controlar y someter. Durante la Conquista de América, la coca se usó como tributo y para multiplicar las horas de trabajo de los indígenas que extraían oro, plata y esmeraldas luego vendidas en las ciudades europeas; el tráfico de tabaco y opio practicado por los europeos les reportaba enormes ganancias a costa de la adicción de sus compatriotas. La venta de drogas se extendió y sigue propagándose en todo el mundo, hoy controlada y fomentada por el narcotráfico internacional. También mediante las drogas se ejerce un control económico y político que permite a algunos países intervenir en otros.

Todas las sociedades, en todas las etapas históricas, han consumido drogas con fines religiosos y terapéuticos, y en ocasiones como instrumento de control social.

Figura antropomorfa que se cierne sobre un grupo de hongos, llamados en lengua nahua *teonanácatl* o carne del dios.

De la vid al consumo masivo de alcohol

El consumo de alcohol es muy antiguo y comienza con la fermentación natural —la transformación de glucosa en alcohol, gracias al efecto de las levaduras—, mediante la cual se obtenía 15 por ciento de alcohol en las bebidas.

Dioniso, dios griego del vino, sobre una pantera. Mosaico (detalle), Casa de las Máscaras. Delos.

La palabra vino proviene del latín *vinum*, que quiere decir bebida alcohólica obtenida por la fermentación del zumo de la uva.

La viticultura

La historia del vino se encuentra estrechamente relacionada con los mitos de varias regiones de Asia y Europa. Autores como Hesíodo, Herodoto y Jenofonte describieron cómo se distribuían los viñedos en la antigüedad y los testimonios de la adoración de Dioniso en Grecia y de Baco en Roma, ambos dioses del vino, muestran cómo esta bebida revestía suma importancia para los dos pueblos. También en la Biblia, así como en muchos otros textos de origen remoto, se nota el gran valor religioso y cultural de la planta de la vid.

El proceso de destilación, mediante el cual se logra la concentración artificial del grado de alcohol de las bebidas fermentadas, se inventó en el siglo IX.

El Medievo

En la Edad Media, la viticultura y el comercio de vinos ejercieron gran influencia en el desarrollo de comunidades, señoríos y principados de regiones de lo que hoy son Italia, Alemania y Francia. Los soberanos tenían que conceder derechos, franquicias y privilegios a los productores, que cada vez adquirían mayor poder. Desde entonces, la elaboración de alcohol se encuentra ligada a los acontecimientos políticos y a las actividades económicas mejor remuneradas. El avance de los procedimientos y las técnicas dio pauta para producir nuevas bebidas y en mayores cantidades. Así, se obtuvieron los aguardientes del vino o sus residuos, como el brandy y el coñac; las bebidas que contienen azúcar, como el ron; los aguardientes de frutas, y otras bebidas como el whisky, la ginebra y el vodka. Durante el Renacimiento, con la colonización y expansión europeas, la viticultura llegó a América y a África.

No es sino hasta fines del siglo XX cuando se reconoce la adicción al alcohol (alcoholismo) como una enfermedad incurable, pero que sí puede controlarse y requiere tratamiento médico.

Masificación del consumo de alcohol

En el siglo XX, el alcohol es un producto de consumo mundial. Su difusión en el orbe entero fue primero lenta; sin embargo, a partir de la década de los sesenta, su consumo se generalizó en todos los sectores poblacionales y sociales, así como entre grupos de mujeres y jóvenes. Precisamente en ese decenio, la Organización Mundial de la Salud informó de manera alarmante que los problemas relacionados con el abuso de bebidas alcohólicas representaban uno de los mayores retos para la salud pública de todo el mundo.

Castillo Tronquoy-Lalande en Médoc, Francia, una de las regiones de mayor prestigio mundial en la producción de vino.

El opio en el tiempo

El consumo de opio también es muy antiguo. Los primeros registros de esta droga se ubican en Asia Menor, en lo que hoy son Turquía, Siria, Líbano, Palestina y Egipto.

El opio es un líquido resinoso que se obtiene de la cápsula de la amapola o *Papaver somniferum*. De ésta se extraen la codeína, la morfina y la heroína.

Cápsula de la adormidera, que florece en el Oriente y en México, y a partir de la cual se obtiene el opio.

Primeros consumidores

Hay regiones, como China, cuya historia se halla estrechamente ligada al opio. Al parecer, éste se introdujo en esa zona en el siglo X, se extendió rápidamente y, a pesar de los edictos en su contra, se convirtió en un vicio arraigado, que daría lugar a conflictos internos y a guerras con países europeos centurias más tarde: las famosas guerras del opio del siglo XIX. Se cree que el opio llegó a América hace unos 150 años, específicamente a Estados Unidos, con el arribo de trabajadores chinos, empleados en la construcción de canales y ferrocarriles. Su uso se expandió hasta convertirse en el analgésico de algunas medicinas. En 1805 se produjo una forma concentrada de opio: la morfina y en 1890, la heroína, otro derivado del opio de mayor concentración.

Del uso en la medicina a la clandestinidad

El empleo medicinal del opio y sus derivados se extendió tanto en Europa como en América: la morfina se usó durante la Guerra Civil estadounidense, cuando la compañía farmacéutica alemana Bayer la producía en grandes cantidades para aplicarla a los

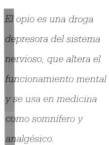

soldados en el frente. Hasta principios del siglo XX, el único obstáculo para importar droga a Estados Unidos había sido un impuesto sobre el opio establecido en 1842. Pero en 1906 el gobierno de ese país promulgó una ley debido a la cual todos los compuestos que contenían opiáceos habían de señalarlo en sus etiquetas. Luego, en 1914, expidió una Ley de Narcóticos, y entonces ésa y otras drogas comenzaron a emplearse en forma clandestina.

Durante la segunda guerra mundial (1939-1945), el consumo de opio empezó a generalizarse entre los soldados. En esa época, un consumidor de heroína —por lo común trabajadores— podía sostener su adicción diaria con un dólar, por lo que obtener la droga no implicaba acciones criminales. Pero en la década de los cincuenta, el uso de la heroína se extendió entre los adolescentes. Este hecho trajo consigo profundos cambios sociales y el aumento del índice de delitos, pues los jóvenes, a menudo desempleados, debían robar para obtener los enervantes. En 1956 se aprobó en Estados Unidos una ley que estableció penas severas a quienes violaran los preceptos federales sobre narcóticos y se estableció una lucha entre el gobierno y las mafias. Más adelante, en 1970, se aprobó en ese país otra norma legal que por primera vez conjugó la prevención y la investigación respecto al uso de drogas, así como el tratamiento de los adictos y el apoyo financiero para la educación en esa materia en las escuelas. Muchas naciones, incluido México, siguieron el ejemplo y fueron creando leyes no sólo contra los opiáceos, sino también contra las demás drogas.

Hoy, el opio y sus derivados están prohibidos y su uso en la medicina está controlado en casi todos los países. Los gobiernos del mundo castigan con severidad su producción y su tráfico ilegal.

El opio es una droga depresora del sistema nervioso, que altera el funcionamiento mental y se usa en medicina como somnífero y analgésico.

Un kilo de látex de amapola produce 100 g de heroína. La heroína en polvo es el resultado de un sencillo proceso químico efectuado en laboratorio.

Desde los Andes: la coca

La coca es un arbusto originario de América, del cual se extrae la cocaína. Los nobles y sacerdotes incas la usaban en ceremonias religiosas y para meditar; las hojas se ofrecían en sacrificio a los dioses y se masticaban durante los cultos.

Del consumo místico a la clandestinidad

La coca es originaria de Perú, donde se consumía con fines religiosos. Durante los primeros años de la Conquista, se prohibió y controló su consumo, hasta que los europeos descubrieron que los nativos trabajaban más rápidamente, mejor y con menos alimento cuando masticaban la droga. Esa práctica se convirtió en un hábito que continúa vigente en la actualidad: los trabajadores soportan extensas jornadas de trabajo sin ingerir alimento, masticando coca y ceniza vegetal.

> En un principio, la cocaína se clasificó como depresor, aunque en realidad es un estimulante de gran poder.

Las facultades de la coca

La planta de coca se introdujo en Europa en el siglo XVI, pero no fue sino hasta el siglo XIX cuando comenzó a darse importancia a sus potencialidades. Se descubrió que las hojas de ese vegetal suprimían la necesidad de alimento, de agua y sueño; evitaban sensaciones de frío y calor, y alteraban la conducta pues gracias a ellas las personas se sentían fuertes, valientes y eufóricas. Más adelante, también se encontró que los mascadores de coca expelían mal aliento y tenían los labios pálidos, los dientes verdosos y carcomidos, los ojos hundidos y la piel amarillenta, así como que los consumidores habituales de la misma no podían dejar de mascarla.

Hojas de coca.

Pese a conocer los síntomas negativos del consumo de hojas de coca, algunos médicos europeos —como Angelo Mariani, que trabajaba en París—, estudiaron

las propiedades de la planta y pensaron haber hallado la cura de diversos males. Mariani llegó a importar de Sudamérica considerables cantidades de coca, que vendía como "vino, elixir y pastillas de Mariani". Otros médicos también la empleaban para curar afecciones como la ronquera y la inflamación de garganta. En 1860, en Alemania se aisló el elemento activo de la coca: un alcaloide, al que se llamó cocaína. Luego se siguió experimentando con esta última hasta obtener a partir de ella un analgésico local: la novocaína, también descubierta en Alemania.

En Estados Unidos, la cocaína se usó durante algún tiempo como remedio para múltiples padecimientos y como saborizante de algunas bebidas, entre ellas la Coca-Cola, cuya fórmula original estaba provista de sabor de hojas de coca. Durante el siglo XX, específicamente a partir de los primeros años de la década de los setenta, se registró un fuerte incremento en el consumo de cocaína en las calles; desde entonces su precio se elevó y comenzó a venderse adulterada con otras sustancias. Hoy la cocaína es una de las drogas ilegales más consumidas en el mundo, no sólo con fines terapéuticos sino como poderoso estimulante.

Investigadores europeos y estadounidenses redescubrieron la coca 200 años después de la Conquista española de Perú.

La cocaína es una fuerte droga derivada del árbol de coca, que crece en grandes extensiones de Sudamérica, sobre todo en los campos de países como Perú y Bolivia.

En 1884, Sigmund Freud experimentó con la coca y publicó varios artículos en defensa de la cocaína. Aunque nunca se retractó públicamente, parece que comprendió que era una droga adictiva y sumamente peligrosa.

Los alucinógenos, drogas de la juventud

Entre las drogas que provocan alucinaciones más consumidas por los jóvenes se encuentran la mariguana, el LSD, los hongos y el peyote, aunque cada vez se introducen más drogas sintéticas (como el éxtasis, el crack y la tiza) que son aún más dañinas para el cuerpo y la mente.

Hoja de la planta de mariguana.

Los alucinógenos son las drogas más consumidas por los jóvenes; producen alucinaciones y visiones idílicas.

La mariguana

Esta droga se emplea desde hace siglos en China, India y Egipto. Se cree que se introdujo en América en el siglo XVIII al ser traídos a ella esclavos africanos y también a mediados del XIX por vía de embarcaciones provenientes de Filipinas. La mariguana es una droga que se obtiene del cáñamo *Cannabis sativa*. Por lo común se fuma, pero también se mastica, se hierve en infusiones y se cocina. En general, produce una sensación de relajación y de inhabilidad motriz y en grandes dosis provoca alucinaciones. En el mundo occidental, el uso de la mariguana se populariza en la década de los años treinta; aunque está prohibido en algunos países, no representa una droga problemática hasta el surgimiento del movimiento *hippie*, hacia los años sesenta, cuando se convierte en símbolo de rebeldía. El consumo de mariguana se ha convertido en un asunto controvertido; se han demostrado sus cualidades medicinales positivas en personas con asma, glaucoma, náusea y vómito, y en enfermos de cáncer; se ha comprobado que es menos dañina que muchas drogas legales y aunque no se ha evidenciado que provoque dependencia física, se le asocia con el crecimiento anormal de los senos en hombres adictos. Sus mayores efectos negativos se deben a que da paso al consumo de otras drogas y al daño que produce el humo del cigarro de mariguana, similar al del tabaco.

LSD

Esta droga también se halla ligada al movimiento *hippie*. Se obtuvo a partir de investigaciones sobre la química de los alcaloides del *ergot*, un derivado del hongo *Claviceps purpurea*, parásito de los granos de centeno y trigo, y de ciertas variedades de la planta maravilla, que contiene ácido lisérgico, el precursor del LSD. En la década de los cincuenta se dieron a conocer las experiencias psicodélicas que provoca la ingestión de esa sustancia. Desde entonces, adquirió gran aceptación por parte de los jóvenes y el LSD se clasificó como droga ilegal.

Hongos y peyote

Usados durante siglos en actos religiosos, han sido parte de rituales ceremoniales de diversos grupos indígenas de México, Centroamérica y el sureste de Estados Unidos. Los aztecas, por ejemplo, los empleaban como objetos sacramentales y para experimentar visiones y alucinaciones. El peyote resulta la única droga de esa clase que es legal en Estados Unidos pues forma parte de la ceremonia ritual de los indios de la Iglesia Nativa de Norteamérica y sólo se adquiere a través de proveedores autorizados.

El uso de drogas psicodélicas (sobre todo de LSD y mariguana) y una nueva ética del amor y de la vida —que cuestionaba y ponía en tela de juicio todas las prácticas establecidas— se asocian al movimiento hippie.

La *Amanita muscaria*, hongo tóxico que no sólo produce alucinaciones, sino incluso llega a ocasionar la muerte.

Las drogas modernas: barbitúricos y anfetaminas

El uso de barbitúricos y anfetaminas lleva décadas pero su consumo generalizado se ha registrado sobre todo en los últimos años, debido a múltiples factores, entre ellos el estrés de la vida moderna.

El uso generalizado de los analgésicos comenzó en 1899, cuando la compañía farmacéutica Bayer lanzó al mercado la aspirina: la drogoterapia y la automedicación se convierten, entonces, en una práctica muy extendida.

De los barbitúricos a los tranquilizantes

En 1864 se sintetizó por primera vez el ácido barbitúrico, sustancia base de hipnóticos y sedantes, y años más tarde comenzó a usarse para combatir el insomnio, la ansiedad y los dolores agudos. En 1903, salió al mercado el primer barbitúrico moderno, el *veronal* y poco después el *luminal*, base de múltiples sustancias destinadas a modificar el estado de ánimo.

Happy pills

Después de la primera guerra mundial comienzan a usarse los primeros tranquilizantes modernos. No sólo había gran cantidad de personas que debían enfrentar los efectos de la guerra, sino también más hombres y mujeres que vivían las crecientes tensiones de la vida urbana, a quienes se les ofrecían calmantes cada vez más eficaces, algunos de los cuales se conocieron incluso como *happy pills* (píldoras de la felicidad).

En 1950 se produjo la cloropromazina, el primer tranquilizante mayor o neuroléptico, aplicado primero en los hospitales psiquiátricos y luego fuera de ellos. La cloropromazina, junto con otros tranquilizantes, resultó eficaz para controlar los síntomas de la esquizofrenia. A partir de ahí, comenzó a experimentarse con diversas sustancias, hasta multiplicar sus propiedades y efectos en el organismo humano: los antidepresivos, drogas contra el miedo, la desesperación y la angustia, seguidos por otros medicamentos estimulantes como las anfetaminas.

Anfetaminas

Son sustancias estimulantes que comenzaron a recetarse para perder peso e inhibir el cansancio. Se consumen en forma indiscriminada a través del mercado ilegal y representan un grave problema de salud pública, sobre todo entre los jóvenes.

Automedicación

Al comercializarse los barbitúricos y las anfetaminas los mercados se inundan pronto de gran cantidad de drogas que no requieren necesariamente de prescripción médica o que se obtienen en forma ilegal: sustancias que deprimen o estimulan el funcionamiento cerebral y que pertenecen al grupo de drogas legales usadas por la medicina actual, que se consumen cada vez más en forma irresponsable.

En años recientes también se ha incrementado el consumo de sustancias estimulantes como las anfetaminas.

Los sedantes, calmantes o tranquilizantes han probado su efectividad bajo estricto control médico, pero su abuso ha ocasionado no sólo adicción, sino incluso la muerte.

El abuso de sedantes puede provocar desde ansiedad, insomnio y tensión hasta la muerte. La actriz Marilyn Monroe murió a causa de una sobredosis de sedantes (nembutal).

Para todos los gustos y todas las edades

La popularización de las drogas ha resultado un proceso lento, que se aceleró a fines del siglo XIX y que hoy ha alcanzado enormes proporciones.

Hoy en día es imposible enumerar la cantidad de drogas que se consumen en el mundo. Las hay para todas las edades: desde calmantes para niños hasta las empleadas para controlar enfermedades mentales; desde drogas que provocan reacciones mínimas en el organismo, hasta sustancias letales.

El consumo se generaliza

Durante un largo periodo de la historia de la humanidad, en las sociedades primitivas, esclavistas, despóticas y feudales, las drogas desempeñaron una misión terapéutica, religiosa o socializadora, pero nunca una práctica común, constante e indiscriminada, como ocurre en la actualidad. El consumo de drogas naturales se inscribía en el tratamiento de alguna enfermedad, una experiencia mística o ritual, o respondía a una inquietud personal. Todavía en el siglo XIX, los consumidores de drogas podían adquirirlas libremente. No había drogas ilegales; incluso, una vez que se introducen la morfina, la heroína y la cocaína en 1900, estas sustancias comienzan a circular libremente en las ciudades europeas. Se consideraban productos exóticos procedentes del Oriente y los trópicos que proporcionaban experiencias únicas e, incluso, el consumo de drogas espirituosas como el tabaco y el café gozaba de prestigio. En Inglaterra se vendían píldoras de opio, y el láudano —compuesto de opio, vino y azafrán— se suministraba a lactantes, niños y adolescentes.

De uso reducido a problema social

Un segundo paso en la historia de las drogas lo constituye la generalización de su consumo. Después de terminada una guerra, los soldados acostumbrados a los estimulantes y tranquilizantes que les permitían soportar sus actividades difundieron su uso al volver a las ciudades, pero cuando la gente empezó a volverse improductiva, drogarse se convirtió en un acto inmoral y vergonzoso que debía restringirse.

Los avances de la química, el conocimiento sobre el poder de los compuestos adictivos, la crisis de personalidad del hombre moderno y las enormes ganancias que resultan del narcotráfico han ocasionado que nuestras sociedades —fuera de cualquier sentimiento místico-religioso tradicional— estén cada vez más expuestas a la adicción a las drogas.

Nuevas sustancias

En el momento en que la industria farmacéutica, que iniciaba su desarrollo, descubrió el enorme y atractivo mercado potencial de las drogas sintéticas, comenzó a investigar nuevas sustancias, a fabricarlas, introducirlas en los mercados y hacerlas competir con drogas y sustancias naturales. Los empresarios exigieron entonces políticas proteccionistas y abogaron por la ilegalidad de las drogas naturales. Apareció el bromuro, utilizado para calmar a los epilépticos; el cloral y sus derivados hipnóticos y, en las primeras décadas del siglo XX, los barbitúricos y las anfetaminas.

La historia demuestra que las drogas habían sido, con algunas excepciones, partes inherentes a la cultura de cada sociedad, no un problema. Se convierten en tal, cuando se generalizan y comercializan.

El consumo mundial de drogas no sólo concierne a las de carácter ilegal, sino también a sustancias, tabletas, cápsulas, jarabes e inyecciones usados con fines terapéuticos, que en ocasiones pueden adquirirse sin receta médica.

La drogadicción, un problema de grandes proporciones

Uno de los mayores peligros de salud pública que afecta a la población mexicana es la drogadicción, incluidos el alcoholismo y el tabaquismo.

Problema sanitario

Según la "Encuesta nacional de adicciones", las relaciones con las drogas en México varían de acuerdo con el sexo: los hombres consumen más drogas ilegales que las mujeres y éstas usan más drogas médicas que aquéllos.

Como ha ocurrido en el mundo en los últimos años, en México se ha incrementado el consumo de drogas legales e ilegales. Este aumento se inició en la década de los sesenta, sobre todo entre la población joven. Encuestas gubernamentales, realizadas por la Secretaría de Salud y otras instituciones sanitarias, han demostrado que, comparado con el de otros países, el consumo de drogas en México todavía no es alarmante. Sin embargo, el uso de inhalables se ha cuadruplicado en algunas zonas urbanas y el consumo de opio y sus derivados se ha elevado considerablemente, sobre todo en las zonas fronterizas del norte de la República y en las grandes ciudades.

De acuerdo con la "Encuesta del uso de drogas y alcohol en estudiantes del D.F. 1997" (realizada por la Secretaría de Educación Pública y el Instituto Mexicano de Psiquiatría), 10 por ciento de los jóvenes registrados en centros educativos de la ciudad de México ha consumido drogas ilegales en algún momento de su vida. Estos datos no consideran a los individuos que no están registrados en establecimientos de enseñanza, por lo que tal porcentaje debe ser mucho mayor si se toma en cuenta que los jóvenes desocupados constituyen una población de alto riesgo en cuanto al uso de drogas. Otros estudios señalan que un alto porcentaje de los jóvenes que aún no utiliza drogas se halla en peligro de consumirlas, porque vive en un medio ambiente donde es común hacerlo.

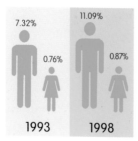

7.32%   11.09%
0.76%   0.87%
1993   1998

Aunque los hombres siguen siendo los mayores consumidores de drogas ilegales, la proporción de mujeres que recurren a ellas también va en aumento. (Fuente: Encuesta nacional de adicciones, SSA, 1993 y 1998.)

Algunas estadísticas

Según la "Encuesta nacional de adicciones 1998", llevada a cabo por varias instancias de la Secretaría de Salud en la población de 12 a 65 años de edad que vive en centros urbanos de la República mexicana, 5.27 por ciento del total ha consumido alguna vez drogas ilegales, lo que equivale a dos millones y medio de personas, entre las cuales por cada mujer hay 13 hombres. El grupo de edad que registró mayor consumo es el de 18 a 34 años.

Según la referida encuesta, la droga ilegal más consumida en México es la mariguana (4.70 por ciento del total de la población). La cocaína ocupa el segundo lugar, con 1.45 por ciento de la población; los inhalables el tercero, con 0.80 por ciento, los alucinógenos 0.36 por ciento y la heroína 0.09 por ciento. Según otras encuestas de la propia Secretaría de Salud, 32 por ciento de los consumidores de mariguana informaron que la obtienen en la calle y 21 por ciento en la escuela; 48 por ciento de los que usan cocaína, en la calle y 7.2 por ciento, en bares, cantinas y discotecas; 58 por ciento de los tranquilizantes se consiguen en casa (después de haber sido adquiridos en la farmacia) y 32 por ciento de los sedantes en los centros de trabajo.

Asimismo, se aprecia una tendencia en los consumidores de drogas de algunas regiones, como la ciudad de México, a cambiar la mariguana por inhalables o sustancias sintéticas, que son más dañinas al organismo. En el plano nacional, de 1988 a 1998 se ha producido un incremento en el consumo de drogas, las más usadas de las cuales son la mariguana y la cocaína. También, según la más reciente encuesta realizada en escuelas de enseñanza media de la ciudad de México, aumentó el consumo de cocaína en los estudiantes de ese nivel del 2 al 4 por ciento entre 1993 y 1997.

El consumo habitual de drogas tiene consecuencias muy negativas tanto en la salud individual y el medio familiar como en el terreno laboral y social. Se trata, pues, de un grave problema de salud pública, social y legal, que va en aumento.

Las relaciones humanas complejas de por sí pueden complicarse aún más si existe una adicción. Lazos de unión, M. C. Escher

¿Quiénes se drogan? Aunque es difícil determinar los factores que influyen en el consumo de drogas, hay ciertos criterios generales que resultan muy útiles para identificarlos.

El consumo de drogas entre los niños y adolescentes está directamente relacionado con factores como la desintegración familiar, la pobreza y la falta de educación.

Población en riesgo

Los hombres y mujeres de 12 a 25 años de edad son el grupo poblacional de mayor riesgo. Hay muchos aspectos que pueden influir en la drogadicción: la curiosidad por descubrir nuevas sensaciones, la presión social o el deseo de incorporarse a un grupo, la rebeldía u oposición a lo establecido, la evasión de los problemas, la desocupación y la pobreza.

En el nivel individual

La población en riesgo está formada por personas que tienen problemas de conducta y aprendizaje y que, al fallar en el aspecto social, tienden al pandillerismo y la vagancia. Aunque la drogadicción se registra en todos los sectores sociales, los jóvenes de bajos recursos, debido a su situación económica, la disfuncionalidad de sus familias y la marginación social, son las víctimas más frecuentes de ella.

Los factores que pueden influir en los jóvenes para que consuman drogas son la curiosidad, la búsqueda de equilibrio espiritual o de placer, la pérdida de identidad, la apatía y el aburrimiento.

Los síntomas o señales que manifiestan los jóvenes farmacodependientes varían enormemente, pero en general se trata de personas solitarias, volubles, descuidadas en su aseo personal, apáticas, mentirosas, que duermen mucho o casi no duermen y con bajo rendimiento escolar. Sin embargo, algunas de estas manifestaciones son propias de la adolescencia y no implican por fuerza el consumo de drogas.

En la familia

En el consumo de drogas también influyen factores como la adicción de familiares, la falta de comunicación e integración entre los miembros de la familia y los conflictos afectivos. Se ha comprobado cierta predisposición de los familiares de drogadictos que, aunada a factores psicológicos y sociales, incrementa sus niveles de riesgo. La vida del niño de la calle (en grupos, sin un lugar fijo y sin ninguna relación afectiva familiar) también favorece el consumo de drogas, sobre todo de las de más fácil acceso: los inhalantes.

En la comunidad

En la esfera comunitaria inducen a la drogadicción la situación económica, el hacinamiento, el desempleo, la carencia de información y de los medios indispensables para llevar una vida productiva.

De acuerdo con la última encuesta, realizada en las escuelas de enseñanza media de la ciudad de México en 1997, 10 por ciento de los estudiantes entrevistados ha consumido drogas ilegales, 33 por ciento tabaco y 50 por ciento alcohol.

Los niños tienden a imitar muchos de los comportamientos de sus padres.

Nuestra compleja y vulnerable maquinaria

El cuerpo humano es una maquinaria frágil y compleja que puede alterarse fácilmente por diversos estímulos externos, entre ellos las drogas.

El cuerpo humano

Todas las funciones del cuerpo humano son interdependientes. Por eso, todo lo que se introduce en él afecta de una u otra manera el funcionamiento de nuestro organismo. El sistema nervioso es el responsable de casi todas las actividades de coordinación interna: se encarga de las funciones de relación del cuerpo, con base en la corriente nerviosa. Ésta recibe información del exterior (estímulos) y la transmite, a través del sistema nervioso, a los *efectores* (músculos o glándulas), que manifiestan una reacción de respuesta: un movimiento o la secreción de una sustancia específica.

Los estímulos que recibe el cuerpo humano son captados por los órganos de los sentidos mediante las células sensitivas, capaces de generar corrientes nerviosas.

Los impulsos nerviosos

Éstos llegan a todo el cuerpo a través del sistema nervioso central, formado por células especializadas llamadas *neuronas* o *células nerviosas*, cuya acción depende del constante flujo de cargas eléctricas. El adecuado funcionamiento del sistema nervioso central depende de varios factores, como la interacción de varios sistemas de péptidos y neurotransmisores que controlan la secreción de la pituitaria, las funciones del sistema límbico y los centros motores, y otras

El impulso nervioso que viaja por el axón para ser transmitido debe saltar un espacio (conocido como espacio sináptico), que impide el flujo continuo de impulsos y es el punto de discusión sobre la acción de las drogas en el sistema nervioso.

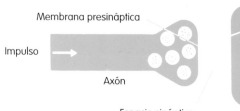

Membrana presináptica

Membrana postsináptica

Impulso

Cuerpo celular o dendrita

Axón

Espacio sináptico

partes del cerebro que gobiernan las respuestas visibles que cononocemos como conducta.

Las drogas en el organismo

Las drogas o fármacos pueden clasificarse de acuerdo con el efecto que ejercen sobre la actividad mental y física del ser humano. Las que aceleran o excitan la actividad mental se denominan *estimulantes*; las que retardan o deprimen dicha actividad, son los *depresores*. Los estimulantes que pueden producir farmacodependencia son las anfetaminas, la cocaína y los *alucinógenos*, entre los que se cuentan la mariguana, el LSD, la mezcalina y la psilocibina. Los depresores incluyen el alcohol, los barbitúricos, los tranquilizantes y los narcóticos (el opio y sus derivados), así como los inhalables (cemento, tíner, éter, acetona y otros compuestos).

Una vez que las sustancias externas llegan al cerebro, pueden ocurrir diversas reacciones, porque las diferentes drogas parecen afectar distintas áreas.

Los nervios conducen los estímulos nerviosos a una velocidad que va de los 20 a los 40 metros por segundo.

El efecto de las drogas depende del modo en que alteran los mensajes transportados por ciertos transmisores neuronales en sitios específicos del cerebro.

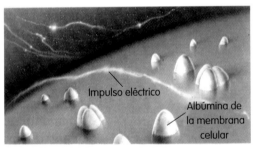

Impulso eléctrico

Albúmina de la membrana celular

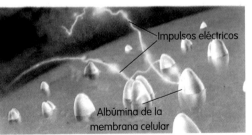

Impulsos eléctricos

Albúmina de la membrana celular

Neuronas de una persona sobria (arriba): los estímulos encuentran el camino hacia el cerebro, entre los *icebergs* flotantes (proteínas). Cuando se ha bebido en exceso (abajo), los *icebergs* van a la deriva y los estímulos se pierden en el camino.

Las más consumidas

Según la Organización Mundial de la Salud (OMS) una droga es toda aquella sustancia que se usa voluntariamente para experimentar sensaciones nuevas o modificar el estado psíquico.

Clasificaciones más usadas

Las drogas son sustancias que alteran el funcionamiento normal del cuerpo humano y que generalmente provocan una o las tres reacciones siguientes: dependencia física o psicológica, tolerancia y síndrome de abstinencia. Hay distintas clasificaciones de las drogas: desde blandas o duras, naturales o sintéticas, legales o ilegales, de uso terapéutico o no terapéutico, hasta depresores, estimulantes y distorsionantes o alucinógenos.

Entre los *depresores* más usados se encuentran el alcohol, los opiáceos, los barbitúricos de uso medicinal y posibles de adquirir en las farmacias con receta médica, y los inhalables, la mayoría de los cuales se obtienen en las ferreterías. Los *estimulantes* más comunes son la nicotina del tabaco, la cafeína del café, la cocaína y las anfetaminas, drogas sintéticas fabricadas en laboratorios, distribuidas en farmacias y capaces de crear fuerte dependencia. Los distorsionantes o *alucinógenos*, también llamados drogas psicodélicas, se denominan así por producir sensaciones irreales. Los más conocidos son el LSD, el peyote (o mezcalina), los hongos (psilocibina) y la *Cannabis sativa*, de donde se derivan la mariguana y el hachís.

Los efectos de las distintas drogas varían enormemente dependiendo de la cantidad y de la frecuencia con que se consuman. La mayor parte de ellas provocan alteraciones en el organismo, tan graves que pueden llegar a ocasionar la muerte. Dibujo de Jean Cocteau, de su diario *Opium*.

Clasificación farmacéutica de las principales drogas

I. Depresores

I.1 Analgésicos. Narcóticos: opio (morfina, codeína, heroína e hidromorfina). No narcóticos: infinidad de marcas de calmantes para el dolor, entre ellos la aspirina.

I.2 Sedantes hipnóticos: miperidina, metadona, pentazocina, barbitúricos de acción corta (pentobarbital, secobarbital, amobarbital), barbitúricos de acción prolongada (fenobarbital), no barbitúricos (hidrato de cloral, glutetinida, metacualona), ansiolíticos (meprobamatos y benxodiacepinas, entre ellos diazepam, lorazepam y flurazepam).

I.3 Alcohol: bebidas destiladas y fermentadas.

I.4 Inhalables: dióxido de carbono e hidrocarburos. Los hidrocarburos comprenden al óxido nitroso (aditivos de autos), cloroformo, éter, nitritos (desodorantes, solventes, pegamentos y pinturas), alifáticos aromáticos (benceno, xileno, hexano y gasolina) y halogenados (tricloroetano —solventes, quitamanchas y desgrasadores—, tricloroetilo, fenoles y halotano).

II. Estimulantes

Cocaína, anfetaminas (dextro anfetamina y metil anfetamina), cafeína, nicotina, fenmetazina (preludín), metil fenidato (retalín) y drogas anoréxicas.

III. Distorsionantes

Alucinógenos psicotizantes (mezcalina, psilocibina, ácido lisérgico [LSD], fenilciclidina [PCP], mariguana y hachís), antiparkinsónicos, antihistamínicos y anticolinérgicos-parasimpalicolíticos.

Mientras el tabaco, el alcohol y la mayor parte de las drogas de uso médico (sean peligrosas o no) se aceptan socialmente, se castiga el consumo de otras sustancias cuyos efectos negativos son menores.

Aunque cada vez resulta más difícil clasificar las drogas, éstas pueden distinguirse por el tipo de sustancias que contienen y por los efectos que provocan en el organismo.

La mariguana, de gran consumo entre los jóvenes, es una droga ilegal

En el organismo

Desde el punto de vista físico y psicológico, las drogas afectan el funcionamiento del sistema nervioso y del cerebro y, en consecuencia, de todo el organismo.

Los efectos de una droga sobre el organismo dependen de múltiples factores y de las características particulares de cada individuo.

En la circulación sanguínea

Las drogas llegan al sistema nervioso central por vía de la circulación sanguínea; mientras más rápidamente entren en ella, más pronto se percibirán sus efectos. Las sustancias inyectadas en las venas viajan directamente al corazón y éste las dirige de inmediato al sistema nervioso; los inhalantes pasan a la sangre con menor rapidez, ya que entran primero en los pulmones; las drogas tomadas se disuelven en el aparato digestivo y a menudo se mezclan con alimentos, lo cual retarda un poco su absorción en la sangre.

En el cerebro

El cerebro controla los movimientos y la conducta de un ser humano, sus acciones, sus pensamientos y sus emociones. La *corteza cerebral* regula los procesos de pensamiento y es responsable de la respuesta lógica al tiempo, al ambiente y al medio social, así como de los procesos de aprendizaje y memoria. Recibe los impulsos externos del cuerpo a través del tálamo y reacciona mediante la corteza motora. El *cerebelo* controla el balance y la coordinación de los movimientos del cuerpo, integrando los mensajes que llegan del área motora de la corteza, los nervios espinales sensoriales, el sistema de equilibrio del oído, el auditivo y el visual.

El cerebro humano es la maquinaria más compleja que existe.

El tronco encefálico

Está compuesto por manojos de fibras nerviosas o canales encargados de transportar los mensajes que circulan entre la médula espinal y el cerebro. La médula es esencial para contener los centros vasomotor,

respiratorio y cardiaco; si una droga afecta esta área, puede ocasionar paro respiratorio y, en consecuencia, la muerte.

El tálamo

Es el transmisor de estímulos, el tablero de control del cerebro, ya que todas las señales de entrada y salida pasan por él. Tiene cuatro funciones esenciales: transmitir los estímulos sensoriales de todo el cuerpo al cerebro; enviar señales a las áreas de asociación; ser el puente de comunicación entre las regiones del tálamo, el hipotálamo y el sistema límbico, y llevar los impulsos motores de regreso al cuerpo. El *hipotálamo* mantiene la temperatura y el balance de agua en el cuerpo, regula la producción de hormonas, mide las necesidades nutricionales, sexuales y de otras funciones básicas. Las dos áreas del hipotálamo más afectadas por las drogas son la de placer-dolor y la del hambre-saciedad.

Las drogas depresoras inhiben o impiden el funcionamiento normal de las células nerviosas. Los estimulantes, en cambio, provocan un exceso de producción y liberación de sustancias neurohormonales transmisoras.

El sistema límbico

Se relaciona con la conducta y la memoria de las emociones. Investigaciones recientes han mostrado que la estimulación por medio de electrodos en varias áreas de este sistema produce cambios en la presión sanguínea, el ritmo cardiaco, la conducta sexual, el apetito y muchas otras respuestas fisiológicas. El *sistema reticular activador* controla generalmente la vigilia y la atención del cerebro y posee vías neurales, en las cuales los sedantes e hipnóticos tienen gran efecto.

El cerebro y el tronco encefálico, con el sistema reticular activador (área punteada).

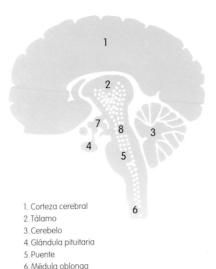

1. Corteza cerebral
2. Tálamo
3. Cerebelo
4. Glándula pituitaria
5. Puente
6. Médula oblonga
7. Hipotálamo
8. Mesencéfalo

¿Qué nos hacen?

Las drogas depresoras, estimulantes y alucinantes alteran el funcionamiento del cuerpo y la mente en diversas formas.

El daño provocado a la salud por el consumo de drogas, su costo económico y las consecuencias sociales y legales de su uso son extremos.

Diversos padecimientos

Los efectos de las drogas en el organismo humano dependen del tipo de sustancia, la dosis, la vía de administración, la frecuencia de su uso, la salud del consumidor, su personalidad y múltiples factores más. Pero, en términos generales, hay una serie de reacciones probadas y reconocidas en el terreno médico, que también vinculan su consumo con diversos padecimientos.

Los *depresores* son responsables de diversas alteraciones en la conducta que pueden ocasionar sobredosis accidental y muerte. Durante el síndrome de privación pueden producirse convulsiones cerebrales y accesos epilépticos. Su abuso continuo ocasiona trastornos psiquiátricos (psicosis tóxica y delirio de privación) y, a largo plazo, cambios de personalidad. El adicto puede caer en estados de tolerancia y dependencia física y psíquica y ocasionar a la larga la pérdida de la memoria y de la atención. El abuso de alcohol, por ejemplo, tiene una relación directa con la cirrosis hepática, la úlcera péptica, la gastritis y las psicosis alcohólicas; además, provoca serias complicaciones a quienes padecen diabetes, hipertensión arterial y, en el caso de las mujeres, puede ocasionar partos prematuros y abortos. El consumo frecuente de inhalables llega a ocasionar depresión respiratoria, asfixia, afecciones del riñón y de la médula ósea, pérdida de control y de la conciencia.

 sombrerete de hongo

 zarcillo de ololiuqui

 flor de tabaco

 flor de ololiuqui

 capullo de sinicuiche

 sombrerete de *psilocybe*

Estatua del dios Xochipilli, en cuyo cuerpo y pedestal están grabadas representaciones del hongo *Psilocybe*, la flor de ololiuqui, la flor de tabaco y el capullo de sinicuiche.

29 + 28

Los *estimulantes* ocasionan a veces fallas cardiacas agudas y trastornos cerebrales, así como complicaciones provocadas por las inyecciones intravenosas. Las anfetaminas, por ejemplo, pueden acarrear psicosis aguda; la cocaína, convulsiones, desvanecimiento, hemorragia cerebral y paro cardiaco, y las nuevas sustancias, derivadas de ésta —como la *tiza* o la cocaína "cocinada"— provocan efectos impredecibles. El tabaco se relaciona con enfermedades cardiovasculares y respiratorias, diversos padecimientos como el cáncer pulmonar, la bronquitis crónica, el asma, la gastritis y, en niños pequeños expuestos al humo del tabaco, con diversos males respiratorios.

El grupo de *alucinógenos*, que comprende a la mezcalina, la psilocibina y la datura (el peyote y ciertos hongos), se ha usado por siglos con fines religiosos y místicos sin mayores consecuencias, quizás porque su consumo se reducía a ocasiones especiales o a personas específicas (sacerdotes o líderes). Los alucinógenos que representan un problema de salud son el LSD, causante de psicosis tóxica, estados depresivos y diversos trastornos neurológicos, y la mariguana que, al fumarse, tiene los mismos efectos que el tabaco e induce al consumo de otras drogas más dañinas. En los últimos años se han creado nuevas sustancias alucinógenas sumamente tóxicas para el cuerpo humano, como por ejemplo el éxtasis.

El consumo habitual de drogas no sólo implica adicción, tolerancia y síndrome de abstinencia, sino también riesgo de adquirir una serie de enfermedades, algunas de las cuales son incurables.

"Acabamos de entrar en una zona de impactos. Fenómeno de multitudes aunque ínfimas, infinitamente encrespadas... Cerrando los ojos, tenemos visiones internas..." Extracto de *El infinito turbulento (experiencia con la mezcalina),* de Henri Michaux.

Depresores del sistema nervioso: narcóticos (opio) y analgésicos

Un depresor es una droga que inhibe las funciones del sistema nervioso central y altera el funcionamiento mental, el pensamiento, el juicio, el razonamiento y la memoria. El opio y sus derivados, la morfina, la heroína y la codeína, son los narcóticos más conocidos.

Narcóticos y analgésicos

Los opiáceos se obtienen a partir de la savia blanca lechosa de la planta *Papaver somniferum* —conocida como adormidera o amapola—, antes de que la semilla madure. Luego, mediante ciertos procedimientos químicos, se obtienen la *morfina* y la *heroína*. La primera se produce en polvo o en bloques; se inyecta y constituye uno de los analgésicos más poderosos que se conocen. Debido a que provoca adicción y otros efectos negativos, en la medicina sólo se usa para calmar dolores intensos y tratar enfermedades como el cáncer.

La dependencia de una droga se manifiesta en un intenso malestar físico cuando se suspende su administración.

La *heroína* es un derivado de la morfina, de cuatro a diez veces más poderoso que esta última. La heroína pura es un polvo cristalino y blanco muy fino. Con frecuencia se adultera con azúcar, quinina y otras sustancias. Se ingiere o se inyecta disuelto en agua, aunque lo más común es que se caliente y se inhale. Provoca euforia y sensación de seguridad, por lo que posee uno de los potenciales más altos de adicción de las drogas ilegales. La *codeína* se obtiene de la morfina; puede ingerirse o inyectarse, pero en general se presenta en forma de polvo blanco o tabletas. Como medicamento, se emplea en forma de jarabe y tabletas para aliviar la tos y calmar el dolor.

Efectos comunes de los opiáceos

Los efectos más comunes del opio y sus derivados son depresión respiratoria, constipación, constricción pupilar, hipertensión y comezón. También pueden ocasionar naúsea y vómito. Debido a que cruzan fácilmente la barrera placentaria, los niños nacidos de madres adictas son también narcoadictos. Los opiáceos son narcóticos sedantes que calman el dolor y, en grandes dosis, inducen el sueño, pero una sobredosis de ellos puede causar la muerte.

La heroína produce una fuerte dependencia física y psicológica, tolerancia y un severo síndrome de abstinencia. Al principio, ocasiona nerviosismo, ansiedad, comezón y "carne de gallina"; después, insomnios, sudoración excesiva, escalofríos, incremento de la presión sanguínea y el ritmo respiratorio, fiebre, desesperación y una obsesión incontrolable por obtener más droga. El mayor peligro al consumir estos narcóticos es la sobredosis y el hecho de que generalmente se venden adulterados. También el uso de jeringas contaminadas implica el riesgo de adquirir enfermedades como la septicemia (envenenamiento de la sangre), hepatitis y SIDA.

La tolerancia a una droga es el nivel de adaptación de un organismo a sus efectos. Implica la necesidad constante de aumentar la dosis para conseguir los mismos resultados que se experimentan con ella la primera vez.

El opio es una droga depresora sumamente adictiva que produce dependencia física, tolerancia y síndrome de abstinencia.

Un adicto a la heroína se inyecta una dosis controlada en un centro de tratamiento de Inglaterra. La terapia se basa en la reducción paulatina del narcótico con el fin de ir venciendo la dependencia.

Otros depresores: sedantes y tranquilizantes

Ciertos depresores del sistema nervioso central se dividen en dos grupos: sedantes hipnóticos (barbitúricos) y drogas contra la ansiedad o psicoterapéuticas (tranquilizantes).

Sedantes hipnóticos

Entre las drogas legales más consumidas actualmente en el mundo se encuentran los sedantes y tranquilizantes.

Los sedantes o barbitúricos se usan para reducir la tensión y la ansiedad y contrarrestar el insomnio. El peligro de que se abuse de ellos es constante, ya que son drogas legales, recetadas por los médicos. Crean tolerancia y dependencia física y psicológica y, si se interrumpe bruscamente su administración, se provoca un síndrome de abstinencia severo. La intoxicación por sedantes puede ocasionar desde desorientación, sueño e inestabilidad emocional, hasta la muerte.

Los sedantes hipnóticos afectan el consumo de oxígeno y los mecanismos de producción de energía, y reducen las señales nerviosas que llegan a la corteza, por lo que inducen el sueño. En pequeñas dosis, provocan somnolencia y reducen la ansiedad y la tensión. Aunque se usan para atenuar desórde-

El estudio del sueño ha permitido conocer un poco más el funcionamiento del cerebro y cómo lo afectan las drogas.

nes del sueño, reducen la etapa de MRO (movimientos rápidos de los ojos), indispensable para lograr el descanso completo. Cuando la administración de sedantes es prolongada, se experimentan sensaciones de angustia y desesperación. Para aliviar este malestar, en ocasiones se comienza a consumir otras drogas y se cae en un círculo difícil de romper.

Tranquilizantes

Estas drogas depresoras se dividen en general en tranquilizantes mayores, empleados contra la psicosis, y tranquilizantes menores, usados contra la ansiedad. Los mayores se aplican en pacientes psiquiátricos dentro de hospitales; los menores los consume mucha gente y con frecuencia en forma irresponsable. El empleo generalizado de tranquilizantes comenzó en Estados Unidos en los años setenta, con el *equanil* y el *miltown*, reemplazados más tarde por el *librium* y el *valium*. Sólo en ese país, en 1968 se expidieron 40 millones de prescripciones médicas para usar tales drogas; cinco años después, el número de recetas relativas a su empleo fue de 80 millones y en 1976 llegó a 91 millones. Actualmente, cada año aumenta en forma considerable la cantidad de personas que consumen tranquilizantes no sólo en ese país, sino en el mundo entero.

Los tranquilizantes son en extremo peligrosos y no resuelven los problemas de ansiedad; sólo atacan temporalmente los síntomas y, así, a largo plazo crean problemas físicos y psicológicos aún más graves.

En la mayor parte de los países, para conseguir tranquilizantes se requiere receta médica. Se prescriben para tratar la ansiedad, la tensión, la neurosis, la psicosis, desarreglos psicosomáticos y vómito; también se usan como relajantes musculares y anticonvulsivos. Los tranquilizantes actúan sobre el sistema límbico, relacionado con la respuesta emocional; por ello, sus efectos a corto plazo son la relajación y el alivio de la ansiedad, pero a la larga pueden provocar somnolencia, resequedad en la boca, visión borrosa, erupciones en la piel, temblores y ocasionalmente piel amarillenta (ictericia). Si se abusa de ellos crean tolerancia y dependencia física y psicológica.

Los tranquilizantes menores más conocidos en México son el meprobamato (equanil) y el diazepam. Estas sustancias provocan dependencia física y psíquica y el síndrome de abstinencia que ocasionan es similar al vinculado con el abuso de sedantes.

La automedicación constituye uno de los mayores peligros en cuanto al uso de sedantes y tranquilizantes.

Un depresor muy popular: el alcohol

En México, el alcoholismo constituye uno de los mayores problemas de salud pública; se equipara, por su gravedad, con la desnutrición, el cáncer y las enfermedades del corazón.

Las bebidas alcohólicas

Se cree que el alcohol es un afrodisiaco. Sin embargo, aunque al principio permite que una persona se desinhiba, si sigue tomando pierde el control de su respuesta sexual y ésta se nulifica.

Las bebidas *fermentadas* se producen mediante reacciones químicas de jugos azucarados en presencia de levaduras. Las de mayor consumo en México son el pulque, la cerveza, el vino y la sidra. Las *destiladas*, obtenidas a partir de las fermentadas —aunque su cantidad de alcohol se eleva al someterlas al proceso de destilación—, son el aguardiente, el tequila, el ron, el whisky, el vodka y la ginebra. El contenido de alcohol de algunas bebidas fermentadas como la cerveza es de 3.4 a 5.0 por ciento; el del vino de mesa es de aproximadamente 13 por ciento, y el del pulque de 4 por ciento o más, mientras que el contenido de alcohol de las bebidas destiladas es mucho mayor: en general, más de 35 por ciento.

El alcohol es un depresor del sistema nervioso central y no —como se cree popularmente— un estimulante. Lo que ocurre es que, al deprimir los centros nerviosos que controlan la conducta, ésta se libera y el bebedor parece estimulado y excitado. Si se continúa ingiriendo, se pierden progresivamente la inhibición, la coordinación, el habla, la visión y el estado de alerta. Finalmente, se afectan las áreas que controlan la respiración y el ritmo cardiaco.

Efectos del alcohol en el cerebro.

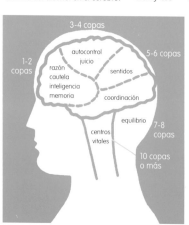

El alcohol en el organismo

La capacidad para soportar el alcohol varía de un individuo a otro y depende de la presencia de alimento en el estómago, la velocidad de consumo, el tipo de bebida, el estado de ánimo del bebedor y la concentración previa de alcohol en la sangre. Después de ser absorbido en el estómago, el alcohol se distribuye en el cuerpo; 90 por ciento de él pasa a la sangre y se oxida en el hígado y el 10 por ciento restante se elimina mediante la orina y los pulmones (a través del aliento). El alcohol se absorbe en el organismo más rápidamente que los alimentos y debe transformarse en una sustancia que puedan usar las células. Este proceso comienza en el hígado, por lo que a mayor concentración de alcohol, más se esfuerza este órgano.

El abuso del alcohol provoca a veces, horas después, dolor de cabeza, gastritis, náuseas, mareos y otros síntomas conocidos como "cruda". Por otro lado, debido a que el organismo usa el alcohol como combustible, las sustancias alimenticias se acumulan en forma de grasa. Con ello, los bebedores crónicos no sólo aumentan de peso, sino que pueden padecer afecciones hepáticas. En las mujeres embarazadas, el consumo excesivo de alcohol implica mayores riesgos, pues esta sustancia —como las demás drogas— llega al feto y puede ocasionar el llamado síndrome alcohólico fetal: niños deformes, con anomalías en las articulaciones y cardiacas, deficiencia intelectual y retraso psicomotor.

Con otras drogas

El alcohol mezclado con otras drogas puede causar efectos dañinos e inesperados: con analgésicos, por ejemplo, produce irritación estomacal; con antibióticos, disminuye su efectividad; con tranquilizantes y somníferos, una mayor depresión del sistema nervioso central; con barbitúricos y antidepresivos, reacciones inesperadas y la pérdida de la conciencia. Con el café, puede actuar temporalmente como estimulante parcial, pero esto no significa que reduzca sus efectos.

Según el Consejo Nacional contra las Adicciones (Conadic), se calcula que en México uno de cada ocho adultos bebe en exceso y en muchas ocasiones es un alcohólico.

"Último desecho del Bowery, su prosa era florida y a menudo incandescente. Vivió, de noche, y bebió, de día. Y murió tocando el ukelele". Malcolm Lowry, para un posible epitafio.

Alcoholismo
El alcoholismo es una enfermedad que afecta gravemente al organismo. Provoca trastornos mentales como la psicosis alcohólica, el *delirium tremens* y problemas personales, económicos y sociales.

El alcoholismo es una enfermedad incurable que, sin embargo, puede tratarse y controlarse.

Etapas del alcoholismo

La mayoría de los adictos al alcohol recorren las siguientes etapas:

Fase prealcohólica. La persona ingiere alcohol en reuniones sociales y comienza a usarlo como escape cada vez más frecuente de las tensiones; aumenta su tolerancia.

Fase alcohólica temprana. Resulta más importante beber que hacerlo específicamente con alguien. La persona comienza a beber sola y a horas inusuales; busca excusas para beber, al tiempo que se propone pasar largos periodos de abstinencia para demostrarse a sí misma que no ha adquirido el hábito.

Fase alcohólica verdadera. El menor pretexto es útil para beber; la vida gira alrededor de la bebida. Hay un deterioro creciente en las relaciones sociales y laborales del enfermo, pues ya no puede controlar el hábito.

Dependencia alcohólica completa. El enfermo ingiere alcohol a cualquier hora, lo cual daña sus vínculos familiares y sociales. Después de varios años de alcoholismo, puede padecer trastornos hepáticos y lesiones en el tejido cerebral, así como *delirium tremens* (alucinaciones visuales, auditivas y táctiles).

El alcohol, cuando se combina con otras drogas, puede ocasionar efectos dañinos inesperados.

Causas del alcoholismo

Según los especialistas, tres factores podrían incidir en esta adicción: alguna *enfermedad psiquiátrica*, en el caso de personas dependientes, con baja autoestima, compulsivas, inmaduras y con baja toleran-

cia a la frustración, que evaden su realidad mediante el consumo de alcohol. Una *deficiencia bioquímica*; quizás la falta de alguna enzima u hormona, cuya carencia sólo puede compensarse con la ingestión de alcohol. Aunque falta mucho por investigar al respecto, algunos experimentos de laboratorio han demostrado que, por ejemplo, las ratas con deficiencia de vitamina B1 prefieren beber agua con alcohol que agua simple. Y la *disposición cultural*, que induce a escapar a presiones sociales por vía del alcohol.

El alcoholismo puede deberse a uno o varios de estos factores: el síntoma de alguna enfermedad mental, una deficiencia bioquímica y la disposición cultural.

Tratamientos contra el alcoholismo

Hasta ahora no hay una cura para el alcoholismo, pero hay tratamientos que pueden ayudar a controlarlo. Los que hasta ahora han mostrado mayor efectividad son el *tratamiento médico*, que administra al paciente vitaminas (B), lo somete a una dieta especial y le suministra medicamentos, en general tranquilizantes, para mitigar el síndrome de abstinencia; la *rehabilitación social y psicológica* basada en terapias de aversión (el enfermo se ve a sí mismo bebiendo), la hipnosis y las electroterapias (aplicación de electrochoques cada vez que el paciente bebe, hasta lograr su rechazo al alcohol); el *ejercicio físico* para reducir la tensión y la ansiedad, y las *terapias de grupo*, como las que se ponen en práctica en Alcohólicos Anónimos.

Alcohólicos Anónimos ofrece una de las terapias más efectivas para controlar el alcoholismo.

Depresores muy peligrosos: los inhalables

Entre las drogas depresoras más dañinas y consumidas en México por los jóvenes se encuentran las sustancias inhalables.

Quizá la preocupación de quienes inhalan sea subsistir y vivir sin presiones, con un poco de diversión y aventura, y sin responsabilidades.

Inhalables

Son drogas contenidas en diversos productos volátiles de uso casero, comercial e industrial como la gasolina y otros derivados del petróleo: pegamentos, adhesivos, pinturas, lacas, tíner, cemento, acetonas, limpiadores y quitamanchas. También líquidos de encendedores, óxido nitroso, tricloroetileno —usado en las tintorerías—, benceno, tolueno y xileno. Al ser inhaladas y absorbidas por los pulmones, estas sustancias alteran la conciencia, la percepción, la cognición y la voluntad y provocan, primero, intoxicación y luego problemas conductuales: alteran el funcionamiento mental, el pensamiento, el juicio, el razonamiento y la memoria.

Principales efectos

Los efectos al inhalar estos depresores del sistema nervioso central son diversos, aparecen rápidamente y duran aproximadamente una hora. Primero, se produce una sensación de hormigueo y mareo; después, zumbidos en los oídos, visión borrosa y dificultad para hablar. También puede sentirse euforia, inestabilidad, inquietud, sensación de flotar, desinhibición, agresividad y sentimiento de gran poder. Si el grado de intoxicación es alto, pueden experimentarse temblor, respiración rápida, vómito, sueño, pérdida de la conciencia e, incluso, estado de coma. De acuerdo con algunos estudios, los inhalables provocan gran dependencia psíquica, escasa dependencia física y gran tolerancia. Los principales padecimientos ocasionados

por los inhalantes son graves afecciones en el hígado, el riñón y la médula ósea, así como la muerte por asfixia, depresión respiratoria o accidente.

Los principales consumidores

En México, los niños y jóvenes que viven en las calles son los principales consumidores de drogas inhalables. Estas personas, en general, abandonan sus hogares debido a la desintegración familiar, el maltrato y la carencia de recursos. El hambre es el principal factor por el cual se lanzan a la calle y los inhalables ayudan a disfrazarla. No se establecen en sitios fijos y se integran a grupos o pandillas que cometen pequeños delitos, por lo que pronto se convierten en menores infractores. Para evadirse de la realidad, recurren a sustancias inhalables baratas y accesibles, que a largo plazo resultan muy costosas por el daño cerebral y el deterioro orgánico, conductual y social que ocasionan.

Desde su creación, los Centros de Integración Juvenil han trabajado para resolver el problema de los niños de la calle, a quienes tratan de brindar la posibilidad de satisfacer sus necesidades sin recurrir a las drogas.

Según el Sistema de Reporte de Información sobre Drogas, en México los mayores consumidores de inhalables son niños de 6 a 14 años de edad, que viven atrapados en el "círculo de la pobreza".

La soledad, la falta de integración familiar y la pobreza son factores que influyen en los niños que se drogan con inhalables.

Estimulantes: cocaína, anfetaminas y cafeína

Los estimulantes son drogas adictivas altamente perjudiciales para el organismo, aunque sus efectos varían enormemente, según se trate de cocaína, anfetaminas o cafeína.

El consumo frecuente de estimulantes —no importa de cuál se trate— siempre es perjudicial para la salud.

El dopaje es la ingestión de drogas que incrementan el rendimiento psicofísico de un competidor: desde estimulantes psicomotores hasta esteroides anabólicos que aumentan la masa muscular.

Cocaína

Este estimulante se obtiene en forma sólida (roca), en hojuelas y en polvo, generalmente diluida, adulterada y mezclada con drogas sintéticas. En su forma pura, es un polvo blanco cristalino parecido al azúcar (de allí su apodo de nieve). Se ha usado por siglos como vigorizante físico y en medicina como anestésico local, pues bloquea la conducción de impulsos en las fibras nerviosas. Su consumo habitual puede producir angustia, alucinaciones, impotencia e insomnio. Después de pasado su efecto, se sufre una severa depresión y se alcanza un alto grado de tolerancia, lo cual implica el riesgo de sobredosis e intoxicaciones graves. Como provoca una estimulación intensa, suele combinarse con drogas depresoras como la heroína, para crear una mezcla inyectable y peligrosa conocida como *speedball*. Las personas intoxicadas con cocaína experimentan inquietud, euforia, alucinaciones, resequedad bucal y nasal, fiebre, escalofríos, náuseas, cambios bruscos en la respiración y convulsiones. Una intoxicación extrema puede llegar a ocasionar la muerte.

Anfetaminas

Estas drogas se usan en medicina para tratar depresiones menores; contrarrestar la acción de los sedantes, el alcohol y otros depresores; suprimir el apetito; controlar problemas de conducta en niños hiperactivos, y evitar el sueño en personas que deben permanecer despiertas. Las hay en cápsulas o ampolletas. Las de 5 a 15 mg (una dosis) son suficien-

tes para mantener a alguien despierto, pero si su consumo se prolonga, generan irritabilidad y ansiedad. Su abuso ocasiona temblores, sudoración excesiva, insomnio e inapetencia; eleva la presión sanguínea, altera la respiración y el ritmo cardiaco, y en grandes dosis provoca alucinaciones, delirio de persecución, depresión, tolerancia y dependencia física. Entre los consumidores más frecuentes de anfetaminas se encuentran las personas que desean mantenerse despiertas, bajar de peso o resistir grandes presiones, así como los atletas que persiguen un rendimiento físico mayor.

Aunque todos los estimulantes alteran al organismo humano, las anfetaminas —que son legales y se consumen bajo prescripción médica— pueden ser muy peligrosas.

Cafeína y otros estimulantes

La cafeína se encuentra en el café, el té y otras bebidas como los refrescos de cola. Pertenece al grupo de *xantinas*, estimulantes similares a las anfetaminas que provocan un estado de alerta y actividad. También desencadenan la liberación de hormonas de la tensión que pueden, entre otras cosas, aumentar el ritmo cardiaco, la presión arterial y las demandas de oxígeno al corazón. Más de 250 mg de cafeína al día se consideran excesivos, pues se ha demostrado que muchos padecimientos psicológicos se deben a la ingestión de siete o más tazas de café diariamente. Los efectos colaterales más frecuentes del exceso de café son la ansiedad, irritabilidad, diarrea, arritmias (latidos irregulares del corazón) e incapacidad para concentrarse. Los otros alimentos que contienen xantina, como la cocoa y algunos refrescos, provocan — sobre todo en los niños— ansiedad.

Entre las drogas estimulantes sintéticas más consumidas por los jóvenes se encuentra la base libre, el *crack* o *rock cocaine* y, más recientemente, la o cocaína "cocinada".

El tabaco, estimulante altamente dañino y adictivo

En 1980, la Asociación Psiquiátrica Mexicana incluyó la adicción al tabaco entre los trastornos mentales, pues fumar tabaco implica una forma de farmacodependencia.

La droga de mayor consumo mundial

El tabaco, obtenido de la planta *Nicotina tabacum*, es originario de América. Su elemento activo —la droga— es la nicotina, un alcaloide que durante el proceso de combustión se vaporiza y penetra en el cuerpo en la forma de aerosol y es el responsable de la dependencia, el hábito y la tolerancia. Pero, además de la nicotina, en el humo del tabaco (producto de su combustión) se han identificado cientos de sustancias tóxicas diferentes. Ese gas es una mezcla de aire caliente y vapores donde se encuentran pequeñas partículas llamadas alquitranes, causantes de cáncer. Se han identificado en él decenas de sustancias cancerígenas y agentes tumorales, entre los que se encuentran el benzenopireno, fenoles, aldoles, elementos radiactivos y metales. Además, el humo del cigarro produce monóxido de carbono, formado por la oxidación incompleta del carbón, y otros gases tóxicos como el amoniaco, el formaldehído y el acetaldehído.

> El síndrome de abstinencia del fumador va desde la intranquilidad, el nerviosismo y el humor inestable hasta la depresión y la agresividad.

Niveles de toxicidad de un cigarrillo, sus principales sustancias y sus efectos en el fumador.

1. Indol (acelerador tumoral)
2. Alquitrán (carcinógeno)
3. Hidrocarburos (carcinógenos)
4. Nicotina (actúa como droga y es responsable de la dependencia)
5. Monóxido de carbono (altera el consumo de oxígeno)
6. Fenol (carcinógeno)
7. Formaldehído (lesiona los bronquios)
8. Cresol (carcinógeno)
9. Acroleína (lesiona los cilios bronquiales)
10. Benzopirenos (carcinógenos)

3er tercio
toxicidad
alta

2do tercio
toxicidad
media

1er tercio
toxicidad
baja

El fumador pasivo

Al fumar un cigarrillo se liberan en el aire aproximadamente 70 mg de partículas y 25 mg de monóxido de carbono, por lo que el humo del tabaco también afecta a quienes no fuman. De hecho, se han encontrado los mismos niveles de nicotina en la saliva y la orina de no fumadores rodeados de fumadores, que en fumadores moderados. Un mayor índice de enfermedades respiratorias como asma, irritaciones oculares y otros padecimientos se registran también en niños cuyos padres son fumadores. Recientemente se ha desencadenado un controvertido debate sobre los derechos del fumador a consumir tabaco y los del no fumador a respirar aire no contaminado por el humo de esa droga.

En agosto de 1990, se publicó el Reglamento para la protección de los no fumadores en el D.F., que protege a quienes no fuman de los efectos de la inhalación involuntaria de humos del tabaco en locales cerrados y en el transporte colectivo del Distrito Federal. Determina que clínicas, hospitales, restaurantes y cafeterías deben contar con áreas reservadas para fumadores, y prohíbe fumar en cines, teatros, auditorios cerrados, centros de salud, bibliotecas, escuelas, oficinas bancarias y financieras.

El tabaco en México

México ocupa el 18° lugar entre los países exportadores de tabaco y produce anualmente más de 22 000 toneladas de esa planta. La industria tabacalera nacional gasta sumas considerables de su presupuesto en publicidad: el tabaco oscila entre el tercero y el quinto producto más anunciado por televisión, cuando en varios países ya está prohibido promover su consumo por ese medio. Según la Procuraduría Federal del Consumidor, en 1997 había en México 13 millones de fumadores, entre los 12 y los 65 años de edad.

La nicotina es responsable de la dependencia física, la tolerancia y el síndrome de abstinencia vinculados con el consumo de tabaco. El ocio, el estrés, la necesidad oral y la asociación del tabaco con prácticas individuales y colectivas son agentes de la adicción psicológica.

El humo del tabaco también es altamente perjudicial para la salud.

Tabaquismo De acuerdo con la OMS, el tabaquismo es responsable de más de tres millones de muertes al año. Si el consumo actual de tabaco continúa, en el año 2020 morirán más de 10 millones de personas por su causa.

Tabaco y salud

La nicotina, como estimulante, afecta al ser humano en forma parecida a las anfetaminas: aumenta el ritmo cardiaco y la presión arterial, altera inicialmente las fibras nerviosas y actúa sobre las glándulas suprarrenales, excitando el sistema nervioso simpático. La nicotina pasa rápidamente a la sangre y se transporta a todas las partes del cuerpo, forzando el trabajo del corazón. Si se fuman diez, veinte o más cigarros al día, seguramente el corazón resultará afectado pues el monóxido de carbono (presente en la porción gaseosa del humo del tabaco) reduce la oxigenación de ese órgano. El consumo excesivo de cigarrillos se relaciona con mútiples alteraciones: aumento del ritmo cardiaco, incremento de la presión arterial, reducción del tiempo de coagulación de la sangre y de la cantidad de oxígeno transportado a los tejidos, e incremento de edemas. Entre los padecimientos más comunes provocados por él se encuentran los siguientes:

Recientemente se han introducido al mercado cigarrillos bajos en nicotina y alquitrán. Tal vez sean menos dañinos, pero persiste con ellos la inhalación de monóxido de carbono, que también es fatal.

Aunque la pipa y el puro son menos dañinos que el cigarrillo, pueden ocasionar cáncer en los labios, la boca, la laringe y el esófago.

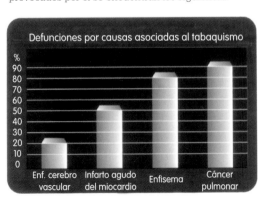

Porcentaje de defunciones por causas asociadas al tabaquismo.

Cáncer pulmonar

Los alquitranes del cigarrillo (la materia en forma de partículas que permite ver el humo), al estar en contacto constante con el conducto respiratorio, causan un cambio lento en sus células. Esta alteración puede ocasionar que se reproduzcan otras células modificadas de las originales. Las nuevas células sin función productiva (cancerígenas) se multiplican con rapidez, compiten por nutrientes, matan a las normales lentamente y afectan a todo el sistema. El cáncer de pulmón empieza con la inhalación del material carcinógeno, que no puede expulsarse. Sus primeros síntomas pueden ser un cambio en la tos que el fumador ha tenido durante años, fiebre, escalofríos y aumento en la producción de flemas. Los indicios del estado avanzado —que se alcanza generalmente al cabo de 20 a 30 años— incluyen pérdida de peso, náuseas, vómito y debilidad; el tiempo de vida de estos casos es de cinco a catorce meses después del diagnóstico.

La mayor parte de las muertes de los fumadores se deben a los efectos del tabaco en los aparatos respiratorio, circulatorio y digestivo. También produce enfermedades en la arteria coronaria, arteriosclerosis general e hipertensión.

Enfisema pulmonar

Es la destrucción de las paredes de los alveolos (sacos aéreos) y, con ello, la reducción del área donde se realiza el intercambio gaseoso. La *bronquitis crónica*, por su parte, es la atrofia de las glándulas mucosas bronquiales y precede o acompaña al enfisema; se caracteriza por la producción excesiva de moco en los bronquios.

Úlcera péptica

La nicotina inhibe la secreción de bicarbonato del páncreas y esto favorece la formación de úlceras.

Trastornos perinatales

Los efectos comprobados en fumadoras embarazadas son los siguientes: mayor mortalidad fetal y neonatal; aumento de abortos espontáneos y reducción de peso en el recién nacido.

P or la boca muere el Pez

El cáncer nasofaríngeo puede ser condicionado por el tabaquismo. (Cartel de Berenice Galván de la Peña.)

Alucinógenos: LSD, peyote y hongos

Los alucinógenos son drogas que afectan la percepción. El LSD, los hongos, el peyote y la mariguana son los más consumidos, aunque en la actualidad también se producen una serie de sustancias sintéticas como el éxtasis.

La intoxicación con alucinógenos varía de un individuo a otro y depende, por supuesto, del tipo de droga que se consuma. (Imagen de la película *Yellow Submarine*.)

LSD

Se encuentra en el mercado negro en forma líquida, en polvo y en píldoras. La ingestión de LSD —una dosis del tamaño de la punta de un alfiler— ocasiona sensaciones de hormigueo, entumecimiento, náuseas, pérdida del apetito, escalofríos y dilatación de las pupilas. Estos síntomas, junto con el aumento del ritmo cardiaco, la temperatura corporal, la presión sanguínea y el nivel de azúcar en la sangre, son signos característicos del *viaje de LSD*. Esta droga provoca también la disminución de los procesos intelectuales y la capacidad de concentración, y genera un estado de confusión. Los efectos se presentan aproximadamente 30 minutos después de ingerirla, aumentan gradualmente hasta llegar a su clímax cuatro o cinco horas después y duran de ocho a diez horas. La tolerancia se desarrolla rápidamente. El LSD produce reacciones químicas en el cerebro: los sentidos se trastornan, se advierten cambios inexistentes en los colores, halos alrededor de las luces y pureza en los sonidos, y se pierden las nociones de tiempo y espacio. El *mal viaje* o *friqueo* se caracteriza por pánico, pérdida del juicio y el autocontrol, regresiones o *flashback*, con sensaciones de parálisis, irrealidad y distorsión de las percepciones visuales.

El peyote

La *mezcalina* es el ingrediente activo (la droga), concentrado en los capullos del cacto del peyote, planta nativa de México. Se obtiene en polvo, en cápsulas de gelatina o líquida; se inhala, se toma, se deglute y se inyecta. La intoxicación con peyote provoca primero una sensación de alegría e hipersensibilidad; después, un sentimiento de calma en el que pueden presentarse alucinaciones visuales (figuras geométricas, escenas y objetos familiares), náuseas, dilatación de las pupilas y cambios bruscos de temperatura. No se ha evidenciado que genere dependencia física, pero sí psicológica y tolerancia.

Los alucinógenos son drogas usadas para satisfacer el deseo de experimentar sensaciones desconocidas y los consumen sobre todo los jóvenes.

Psilocibina

Se obtiene de un hongo que crece en lugares pantanosos de México y Centroamérica. Se encuentra en polvo o en forma líquida y una dosis de cuatro a ocho miligramos produce efectos similares a los de la mezcalina. La intoxicación dura aproximadamente ocho horas y se caracteriza por depresión física y mental, laxitud y distorsión del sentido del tiempo y del espacio. No ocasiona dependencia física, pero sí psicológica y tolerancia.

Hay, además, gran variedad de alucinógenos sintéticos como el DMT, el DOM y el DET, conocidos por las siglas de sus nombres químicos. Son sustancias semisintéticas, más baratas que otras drogas, que por lo general se mezclan con perejil, mariguana, tabaco o té. Al parecer, no causan dependencia física, pero sí tolerancia y dependencia psicológica. El STP y el PCP son drogas muy peligrosas que han causado muertes y que, combinadas con otras, provocan efectos impredecibles.

R. Gordon Wasson, pionero etnomicólogo, con una estatuilla precolombina que representa a una sacerdotisa de los hongos. El sombrerete del hongo es característico del género *Psilocybe*, a partir del cual se obtiene la psilocibina.

La mariguana y el éxtasis   Entre los alucinógenos más consumidos en México se encuentra la mariguana. Se obtiene de la planta *cannabis*, cuyas variedades sativa e índica son hierbas de la familia del cáñamo que brotan en forma silvestre en climas templados.

La mariguana

El hachís es un derivado de la resina de la mariguana. Es de color café y en general se comprime en bloques. Su potencia es de cinco a diez veces mayor que la de la mariguana.

El ingrediente activo de esta droga es el THC o aceite de mariguana. En general, se fuma en forma de cigarrillo, sola o con tabaco. Sus efectos físicos dependen de su origen, cultivo y preparación, así como de la cantidad, el ambiente y la personalidad del consumidor: en general, actúa quince minutos después de inhalarse y sus efectos persisten de dos a cuatro horas. Su consumo frecuente provoca congestión en los ojos, taquicardia y trastornos pulmonares y digestivos, pues contiene alquitrán. Afecta la velocidad con que se reacciona a estímulos, la coordinación, la percepción del tiempo y la visual. No desarrolla dependencia física, pero sí psíquica y puede desencadenar enfermedades mentales latentes, así como estados permanentes de apatía, desinterés y descuido en la apariencia personal. Dosis pequeñas (medio cigarrillo) de mariguana provocan primero excitación y luego somnolencia; cantidades mayores (un cigarrillo y medio) aumentan la percepción, pero afectan la coordinación, reducen la temperatura corporal, provocan sensación de hambre e inflamación en las membranas mucosas y los bronquios. Tres cigarrillos o más de esta droga llegan a provocar alucinaciones, estados de pánico y delirio de

Entre otros efectos dañinos, al parecer la mariguana induce a experimentar con otras drogas más peligrosas.

persecución. El consumidor crónico de mariguana suele estar siempre "pasado": somnoliento, desgarbado, sudoroso, pálido y con manchas en los dedos.

Éxtasis

Popularmente se le llama también *X pills* o *droga del amor*. Durante la década de los cuarenta, su ingrediente activo, el MDMA, se investigó para tratar el mal de Parkinson y la obesidad y, en 1957, se descubrió su poder para provocar alucinaciones y mejorar la percepción. Hoy es una de las drogas sintéticas más peligrosas y de mayor consumo entre la población joven. Resulta muy riesgosa porque nunca se sabe qué se está ingiriendo, ya que las sustancias mezcladas con ella pueden variar considerablemente de una píldora a otra. Después de la ingestión, pasa al hígado (al parecer es bastante indigesta), llega al cerebro y afecta la estabilidad emocional, provocando euforia y emoción.

Sus efectos generales son aceleración del pulso, aumento de la temperatura corporal, dilatación de las pupilas, oleadas de sudor y, a veces, náuseas y vómitos. A largo plazo, el consumo de MDMA puede ocasionar degradación de la memoria y estados de psicosis crónica; llega a ser mortal en personas asmáticas, epilépticas o débiles, que no se rehidratan a tiempo.

Aunque dañinos, los efectos de la mariguana son menores que los ocasionados por otras drogas como el éxtasis, que pueden llegar a ocasionar la muerte.

El movimiento hippie cuestionaba los valores y formas de vida anteriores.

Nuevas sustancias, nuevos peligros

Entre las nuevas sustancias que se empiezan a consumir en México se encuentran las drogas de diseño, como las metanfetaminas, el methaqualone, el refractil ofteno y el flunitrazepan, así como nuevas variedades de cocaína altamente dañinas.

Forma tradicional de inhalar cocaína.

Las drogas de diseño se llaman así por ser expresamente elaboradas para utilizarse como drogas y venderse en el mercado negro.

Las metanfetaminas

Comúnmente se les conoce como anfeta (*speed*), meta (*meth*) y tiza (*chalk*) y son fuertes estimulantes de las células cerebrales. Sus efectos en el sistema nervioso central son mayores que los ocasionados por las anfetaminas. Físicamente se encuentran en la forma de cristales transparentes, parecidos al hielo, y llamadas precisamente hielo (*ice*), cristal (*crystal*) y vidrio (*glass*). Provocan una sensación de arrebato o fogonazo (*rush* o *flash*) que dura algunos minutos, y son peligrosamente adictivas. Prolongan el estado de vigilia, incrementan la fuerza física, reducen el apetito y aumentan la frecuencia respiratoria y cardiaca, así como la tensión arterial, por lo que pueden causar lesiones irreversibles y síntomas similares a los de la enfermedad de Parkinson y la muerte.

Mandrax (methaqualone)

Comenzó a usarse como sustituto de los barbitúricos, pero también provoca dependencia. Se vende en cápsulas o tabletas. Es un depresor del sistema nervioso central. En dosis bajas, reduce la tensión; en cantidades mayores, provoca confusión cerebral, pérdida

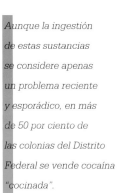

de la noción del tiempo-espacio, baja del ritmo respiratorio y reducción de la sensibilidad ante el dolor. Una sobredosis de mandrax puede causar inconciencia, estado de coma y la muerte. Mezclada con alcohol puede ser sumamente peligrosa. A largo plazo, es capaz de ocasionar anemia, afecciones del hígado, intoxicación crónica y depresión. Provoca adicción física y psicológica y el síndrome de abstinencia ligado a ella es severo: desde irritabilidad, insomnio, ansiedad, delirios y convulsiones, hasta la muerte.

Cocaína "cocinada"

Una nueva forma de consumir cocaína en las calles de la ciudad de México consiste en fumarla mediante latas vacías de cerveza o refresco. Se mezcla con bicarbonato y agua y se quema (con un encendedor), para convertir la sustancia en base pura e intensificar sus efectos. En general provoca sentimientos de euforia que duran aproximadamente diez minutos, seguidos de una caída inmediata del estado de ánimo. La "cruda" empieza a los seis minutos de haberla ingerido, momento en el cual se desea más, por lo que provoca fuerte dependencia y resulta extremadamente adictiva. Su uso frecuente ocasiona daño pulmonar, alteraciones en la presión sanguínea, temblores, ansiedad, paranoia, angustia y muerte.

¿Problema secundario?

Según la Secretaría de Salud, el consumo de estas nuevas sustancias constituye en México un problema menor. De acuerdo con la Encuesta Nacional de Adicciones 1998, en la población mexicana el consumo de metanfetaminas es inferior a 0.01 por ciento; 0.1 por ciento de ella consume *crack*; 0.1 por ciento inhala *refractil ofteno* y 0.2 por ciento *flunitrazepam*, estas últimas sustancias terapéuticas que se usan en forma ilegal para lograr la intoxicación vía nasal.

Aunque la ingestión de estas sustancias se considere apenas un problema reciente y esporádico, en más de 50 por ciento de las colonias del Distrito Federal se vende cocaína "cocinada".

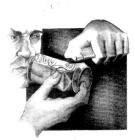

La cocaína "cocinada" se fuma en botes de refresco o cerveza, perforados con alfileres y aderezados con cenizas de tabaco.

El mercado de las drogas

El mercado está determinado por la división jurídica de las drogas en médicas legales y drogas no médicas legales e ilegales.

Los mercados

Las drogas médicas legales se dividen a su vez en las destinadas a la quimioterapia general y las psicodrogas o drogas del comportamiento. Las drogas para la quimioterapia general son los analgésicos, antinfecciosos, diuréticos, antidiabéticos, contraceptivos, inmunológicos, vitamínicos y esteroides. Las psicodrogas son los tranquilizantes mayores y menores, los barbitúricos, los antidepresivos, estimulantes y euforizantes. El mercado de estas sustancias es controlado por las compañías farmacéuticas trasnacionales.

Las drogas no médicas legales, entre las que se encuentran las embriagantes, como las bebidas destiladas y las fermentadas, y las estimulantes, como el café, el té, el mate y el tabaco, pueden obtenerse en cualquier supermercado.

Las drogas no médicas ilegales se clasifican en euforizantes, opiáceos (opio, morfina y heroína) y cocaína; alucinógenos, como la marihuana, el LSD, los hongos, el peyote y la datura, inhalantes, como los éteres, las cetonas, los alcoholes, y el cemento.

Las ganancias ilegales del narcotráfico internacional se usan en innumerables actividades clandestinas, a través del lavado de dinero.

El mercado de las drogas no médicas ilegales lo controlan mafias internacionales. El comercio de los inhalantes, la industria química, y la compraventa de drogas no médicas legales como el alcohol, el café y el tabaco, las compañías alimentarias y vitivinícolas y

52 + 53

cerveceras trasnacionales. No es sino hasta este siglo, con el desarrollo del capitalismo y la creación de monopolios, como se produce un cambio en la actitud hacia las drogas: la cocaína, los opiáceos, el alcohol y la mariguana ya son negocio en la década de los años cuarenta. De 1950 a 1970, grupos juveniles identificados con la corriente *beat*, *hippie* popularizan el consumo de drogas *blandas* (alucinógenos, hongos, LSD y tabaco) y, a partir de la década de los setenta, se registra un auge del uso de drogas *duras* (opio y cocaína) entre los jóvenes y de drogas médicas (anfetaminas, barbitúricos y anabólicos) entre los adultos.

Latinoamérica

En los últimos años, la producción de drogas ilícitas ha aumentado de manera alarmante en América Latina, sobre todo para cubrir la demanda de su principal comprador, Estados Unidos, pero también porque ha habido un incremento en el mercado interno del área. En México, el narcotráfico ha crecido explosivamente desde 1985. Es un fenómeno ligado a la estructura política y policiaca de gran poder económico. Debido a que se desenvuelve fuera de la ley, es difícil identificarlo. Sin embargo, es del dominio público que hay dos poderosos grupos del narcotráfico: el cártel del Pacífico, dividido en los cárteles de Tijuana, Sinaloa, Juárez y Jalisco, y el cartel del Golfo.

El poder financiero de los narcotraficantes ha provocado la corrupción de las instituciones en muchos países, incluido México. La mayor parte de los gobiernos no quieren o no pueden hacer nada contra ellos.

En la frontera norte se lleva a cabo el más cuantioso tráfico de estupefacientes de México a Estados Unidos. Este último país es uno de los mayores consumidores de drogas del mundo.

Las leyes

La drogadicción no sólo representa un problema de salud individual, pues también constituye un grave problema social que repercute en la familia, el trabajo, la comunidad, la economía y la estabilidad nacional de cualquier país.

El tráfico de drogas abarca desde los grandes mercados internacionales hasta escuelas, esquinas de las calles, bares y centros nocturnos.

Legislación mexicana

Las leyes de México respecto al uso y abuso de drogas son recientes. En 1913, después de haberse descubierto un cargamento de opio dentro de bultos postales, se prohibió su importación. Un año después, en 1914, esta interdicción se extendió a la cocaína y en la Constitución de 1917 se designó al Consejo de Salubridad General como encargado de vigilar lo referente al alcoholismo y otras prácticas que degradan a la especie humana. Desde entonces, se han promulgado leyes y creado una serie de instancias gubernamentales para vigilar la producción, consumo, portación y exportación de drogas, así como para prevenir su consumo y tratar sus efectos.

Ley General de Salud

En 1984 se promulgó la Ley General de Salud, documento que en México aporta el marco jurídico sobre las adicciones. Este precepto reglamenta el artículo IV constitucional, que promulga el derecho de todos a la salud y regula el Programa Nacional de Salud, cuyo objetivo es proporcionar servicios médicos y asistenciales a toda la población. La referida ley prevé combatir y prevenir el uso de estupefacientes, sustancias psicotrópicas y otras capaces de provocar dependencia. Establece los principios contra la farmacodependencia, entre los que destacan la elaboración y aplicación del Programa contra la Farmacodependencia, la definición y regulación de la prescripción de medicamentos que pueden producir dependencia, la venta y el suministro de los mismos, el control sanitario del proceso y de la importación y exportación de medicamentos, estupefacientes y psicotrópicos. Esta norma legal también señala que la venta y el suministro de los estupefacientes y sustancias psicotrópicas deben contar con la autorización sanitaria de la Secretaría de Salud.

Otras leyes

La Ley Orgánica de la Administración Pública Federal (publicada en 1976 y modificada después) atribuye a la Secretaría de Salud la facultad de establecer y guiar la política nacional en materia de salubridad general, así como coordinar y adoptar las medidas necesarias para el combate de las toxicomanías y otros vicios sociales.

La publicidad vinculada con los daños a la salud se considera en el Reglamento de la Ley General de Salud en Materia de Control Sanitario de la Publicidad, que entró en vigor en 1986 y cuyo objeto es determinar las reglas para controlar la difusión y promoción de las drogas en los medios masivos y vigilar e inspeccionar los productos.

En México, la legislación en materia de drogas se basa en la premisa de que, al alterar el comportamiento humano, el consumo de drogas debe ser regulado, vigilado, controlado y castigado. Sobre todo considerando el estrecho vínculo que hay entre la drogadicción y la criminalidad.

La legislación mexicana destinada a combatir el tráfico de drogas se refiere tanto a la penalización del narcotráfico como al tratamiento médico y psicológico de los adictos.

Aspectos penales de la drogadicción

Aunque la legislación mexicana considera al farmacodependiente como enfermo (antes que infractor o delincuente), se castiga el abuso de estupefacientes, psicotrópicos y otras sustancias capaces de provocar adicción.

Penalización

El Código Penal del D.F. y el del fuero común aplicable en toda la República regulan lo concerniente a los actos relacionados con estupefacientes y psicotrópicos. Respecto a los adictos que poseen drogas para uso personal, determina que el Ministerio Público o el juez competente son responsables de establecer las sanciones (multa o encarcelamiento) correspondientes según las cantidades de sustancias encontradas.

El tráfico de drogas y la delincuencia se hallan íntimamente relacionados: ambos son actividades delictivas penadas por la ley.

En México se castiga con prisión de 10 a 25 años y multa a quien siembre, cultive, coseche, produzca, manufacture, fabrique, elabore, prepare, acondicione, transporte, venda, compre, adquiera, trafique, comercie, suministre —aun gratuitamente— o prescriba alguno de los vegetales o sustancias señaladas como drogas prohibidas, sin la autorización correspondiente referida en la Ley General de Salud. Ello se aplica también a quien apoye o encubra cualquiera de esos actos, haga publicidad sobre drogas o incite a su consumo. Las penas aplicadas a todos los delitos aumentarán si los cometen servidores públicos dedicados a prevenir las adicciones, si la víctima es menor de edad o se encuentra incapacitada, el delito ocurre en centros educativos, asistenciales o penitenciarios, y si el infractor participa en una organi-

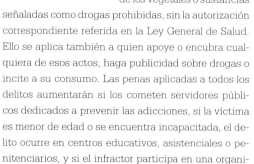

zación delictiva, nacional o internacional, entre otros.

El Código Penal, en el apartado sobre penas y medidas de seguridad, se refiere al internamiento y tratamiento de los consumidores de estupefacientes o psicotrópicos y de quienes tengan el hábito o la necesidad de consumir droga.

En el trabajo

Según la Ley Federal del Trabajo y sus reglamentos, está prohibido que tanto trabajadores como patrones se presenten a los centros laborales en estado de embriaguez o bajo la influencia de otras drogas. El patrón se exime de responsabilidad en caso de accidente si el empleado se encuentra bajo los efectos de alguna droga (salvo que ello se deba a prescripción médica y lo haya informado con anterioridad).

Alcoholismo

La Ley General de Salud considera bebidas alcohólicas las que contienen alcohol etílico en una proporción mayor de 2 por ciento de su volumen, las cuales se clasifican en tres rubros: de bajo contenido alcohólico, entre 2° y 6° GL; de contenido alcohólico medio, de 6.1° a 20° GL, y de contenido alcohólico alto, de 20° a 55° GL. El mismo documento establece las leyendas que deben acompañar a esas bebidas y la prohibición de venderlas a menores de edad.

Tabaquismo

La Ley General de Salud reglamenta el consumo de tabaco; reconoce que el hábito representa un alto riesgo para la salud y subraya la necesidad de educar e informar al público sobre los efectos del tabaquismo en la salud, en especial a los niños y adolescentes. Las acciones contra el tabaquismo se centran en dos aspectos: la investigación de las causas del tabaquismo y las acciones para controlarlas, y la educación preventiva, dirigida a menores y jóvenes.

La relación entre las adicciones y los delitos ha dado como resultado el establecimiento de acuerdos y la colaboración entre la Secretaría de Salud e instancias como la Procuraduría General de la República.

Para prevenir las adicciones, el ejercicio podría ser una de las terapias más efectivas para muchos jóvenes.

Investigación y tratamiento de las adicciones en México

Hasta ahora se han usado de manera general cinco modelos conceptuales para el tratamiento de la drogadicción: el médico-sanitario, el psicosocial, el sociocultural, el ético-jurídico y el integral.

Principales modelos de tratamiento

El *médico-sanitario* se centra en los daños a la salud. El *psicosocial* pretende alejar al individuo de la droga, promoviendo estilos de vida que lo induzcan a evitar su consumo. El *sociocultural* fomenta la transformación positiva de un ambiente negativo y la integración del individuo a su comunidad. El *ético jurídico* combate las drogas al impedir su producción y consumo. El *integral* ofrece opciones preventivas, propone alternativas e intenta disminuir los factores de riesgo.

Principales instancias gubernamentales

Secretaría de Salud. Brinda atención médica y psiquiátrica y sus centros están vinculados con el Sistema Nacional de Información y Documentación sobre Adicciones del Conadic. Cuenta con el Sistema de Vigilancia Epidemiológica de las Adicciones y opera programas educativos y de fomento de la salud.

Consejo Nacional contra las Adicciones (Conadic). Creado en 1986, posee un amplio centro de documentación sobre las adicciones y un servicio de orientación telefónica para prevenirlas, orientar y dar apoyo psicológico, evaluar casos rápidamente y remitir a los afectados a servicios de atención. Participa y coordina en el país los programas contra las adicciones.

Consejos Estatales contra las Adicciones. Fundados para coordinar y apoyar la prevención y disminución de sustancias adictivas, trabajan en las áreas de alcoholismo, tabaquismo y farmacodependencia. Organi-

Los Centros de Integración Juvenil realizan diversas labores para prevenir las adicciones. Entre ellas, organizan concursos de carteles para fomentar una vida sin adicciones. (Cartel de Efraín Barrera Segoviano).

zan cursos de capacitación, divulgación, actividades deportivas, culturales y de participación social para el tratamiento de las adicciones.

Instituto Mexicano de Psiquiatría. Se dedica a estudiar los desórdenes mentales y posee servicios de asistencia psiquiátrica. Imparte cursos de capacitación y actualización y funge como centro colaborador de la OMS en materia de adicciones. Ha participado en las Encuestas Nacionales de Adicciones y coordina el Sistema de Reporte de Información en Drogas, que contiene datos actualizados sobre el consumo de ellas entre las personas que acuden a los hospitales o están consignados en centros penitenciarios. Desde 1977 opera el Centro de Ayuda para el Alcohólico y sus Familiares.

IMSS e ISSSTE. Muchas de sus clínicas y hospitales cuentan con programas de atención para el tratamiento y rehabilitación de adictos, y proporcionan atención médica, tanto en servicios de urgencias como psiquiátricos.

Sistema para el Desarrollo Integral de la Familia (DIF). Cuenta con el Programa DIF para Prevenir la Farmacodependencia, el Programa de Desarrollo Integral del Adolescente (DIA) y una Escuela para Padres, en la cual se trata no sólo al adicto sino también a su familia.

Departamento del Distrito Federal. Posee módulos de atención en varios hospitales y el servicio de información Locatel. Ofrece atención en los reclusorios y en los centros de readaptación social y coordina, con la Procuraduría del D.F., el Programa de Atención a la Farmacodependencia.

Secretaría de Educación Pública. Cuenta con varios programas sobre prevención de adicciones en niños y jóvenes. La Comisión Nacional del Deporte fomenta la integración de éstos y el área de Medicina y Ciencias Aplicadas al Deporte se encarga de controlar y realizar pruebas de dopaje a deportistas, según lineamientos del Comité Olímpico Internacional.

Desde 1986, el Conadic promueve y apoya las acciones de todos los sectores en la prevención de las adicciones y el combate a las mismas; también participa en los Programas Nacionales contra el Alcoholismo, el Tabaquismo y la Farmacodependencia.

No te compliques.
"Vivir sin drogas es Vivir."

Otras instancias
Además del gobierno, diversas instituciones universitarias, privadas y comunitarias tratan de ayudar a los adictos a las drogas a reintegrarse socialmente.

En muchas preparatorias y universidades se realizan actividades preventivas de las adicciones. También por radio y televisión se desarrollan campañas contra las drogas.

"Siempre hay una salida… Vivir sin drogas es Vivir." (Cartel de Federico López Escalante. II Concurso Nacional de Cartel).

Alcohólicos Anónimos
Cuenta con más de 7 500 grupos "AA" en la República Mexicana y con alrededor de 250 000 miembros. Funciona con base en sus doce principios y recibe apoyo del Sistema Nacional de Salud, el Instituto Nacional de la Senectud y otros organismos públicos y privados.

Fundación Ama la Vida, Centro contra las Adicciones Iztacalco
Esta institución de asistencia privada ofrece en la ciudad de México sus servicios a costos simbólicos en consulta externa, hospital de mediodía, clínica de tabaquismo y grupos de autoayuda.

Consejo Popular Juvenil
Grupo autogestivo formado por jóvenes que han tenido alguna relación con las adicciones y apoyado por las delegaciones y los gobiernos municipales y estatales, que proporciona asistencia social, cuenta con talleres y organiza actividades deportivas.

Centros de Integración Juvenil
Son asociaciones civiles de participación estatal mayoritaria, ubicadas en el sector salud. Aunque atienden a todos los sectores de la población, se concentran sobre todo en los jóvenes.

60 + 61

Centro de Estudios sobre Alcohol y Alcoholismo

Se trata de un organismo no lucrativo que realiza actividades educativas, investigación y difusión de los problemas relacionados con el alcoholismo.

Asociación de Padres de Familia

Se centra en programas de fortalecimiento de valores morales en niños y jóvenes mediante cursos y pláticas en las escuelas. Con la SEP y la SSA colabora en el Programa Nacional Educativo de Prevención de las Adicciones.

UNAM

En varios institutos, centros y facultades de esta casa de estudios se realiza investigación en materia de adicciones. A través de su Dirección General de Servicios Médicos también lleva a cabo distintos programas preventivos de adicciones en la población universitaria.

Hay mucho por hacer respecto al combate a las drogas. Nuestra principal obligación es al menos mantenernos informados sobre los riesgos que se corren al consumirlas y a dónde acudir si se tienen dudas al respecto o si se requiere tratamiento.

La UNAM lleva a cabo una labor importante en materia de investigación sobre drogas.

Principales centros y fuentes de información sobre drogas en México

Bibliografía

Consejo Nacional contra las Adicciones (Conadic). Centro de Documentación. Aniceto Ortega 1321, 1er. piso, Col. del Valle, México 03100, D.F., Tel. 55 34 77 52, ext. 134. Lada sin costo para toda la república: 01 800 911 2000. www.ssa.gob.mx

Centros de Integración Juvenil (CIJ). Tlaxcala 208, 6° piso, Col. Hipódromo Condesa, México 06160, D.F., Tel. 52 12 12 12.

Instituto Mexicano de Psiquiatría (IMP). Calz. México-Xochimilco 101, Col. San Lorenzo Huipulco, México 14370, D.F., Tel. 56 55 28 11.

Instituto de Educación Preventiva y Atención de Riesgos, A.C. (Inepar). Zempoala 407, Col. Vértiz-Narvarte, México, D.F., Tel. 55 36 56 56.

Consejos Estatales contra las Adicciones (CECA). Servicios estatales de salud en toda la República.

Alcohólicos Anónimos. Central Mexicana de Alcohólicos Anónimos (D.F. y grupos en los estados). Tels. 52 64 25 88 y 52 64 27 08.

Consejo Nacional del Deporte (Conade). Institutos ubicados en cada estado de la república.

Aguirre, G., *Medicina y magia*, México, INI, 1963.

Blakiston, *Diccionario breve de medicina*, México, La Prensa Médica Mexicana, 1983.

Cabrero, E., "Éxtasis", en *Ajoblanco*, núm. 58, España, diciembre de 1993.

Cárdenas, O., *Toxicomanía y narcotráfico. Aspectos legales*, México, FCE, 1974.

Castro, M.E. *et al.*, "Epidemiología del uso de drogas en la población estudiantil. Tendencias en los últimos 10 años", en *Salud Mental*, núm. 9, México, 1986.

Centro de Estudios sobre Alcohol y Alcoholismo, *Las bebidas alcohólicas y la salud*, México, Trillas, 1991.

Chávez, M. I., *Drogas y pobreza*, México, Trillas, 1977.

Conadic, SSA, *El consumo de drogas en México: diagnóstico, tendencias y acciones*, México, 1999; *Crecer como familia, guía de prevención de las adicciones para padres*, 1998; *Hacia una escuela sin adicciones. Guía de prevención para maestros*, 1998; Encuesta Nacional de Adicciones 1998; *Situación actual de las adicciones*, 1995; *Las drogas y sus usuarios*, 1992; *Guía para el diseño y desarrollo de programas preventivos en materia de adicciones*, 1994; *Programa contra el alcoholismo y el abuso de bebidas alcohólicas*, 1995; *Programa contra el tabaquismo*, 1995.

Díaz, L., *El imperio de la razón. Drogas, salud y derechos humanos*, México, UNAM, 1994.

Dusek, D. y D. Girdano, *Drogas. Un estudio basado en hechos*, México, FEI, 1983.

Freud, S., *Escritos sobre la cocaína*, Barcelona, Anagrama, 1980.

Furst, P., *Los alucinógenos y la cultura*, México, FCE, 1980.

Georg, H., *La droga, potencia mundial*, Barcelona, Planeta, 1981.

Gómezjara, F. *et al.*, *El imperio de la droga*, México, Fontamara, 1992.

González, G. *et al.*, *México y Estados Unidos en la cadena internacional del narcotráfico*, México, FCE, 1989.

Laporte, S., "El consumo de drogas en el medio universitario", en *Drogadependencias*, Madrid, 1980.

Lorenzo, B., *Terapéutica con fundamentos de farmacología experimental*, Barcelona, Científico Médica, 1970.

Martínez, M., *Aguardientes y licores*, Bilbao, Cantábrica, 1978.

"Narcotráfico y soberanía", en *La Jornada*, México, 25 de septiembre de 1992.

Pines, M., *Los manipuladores del cerebro*, Madrid, Alianza, 1981.

Suverza, A., "Cocaína 'cocinada', nueva modalidad que, a bocanadas, produce angustia, ansiedad, muerte", en *El Financiero*, 13 de marzo de 1999.

Tapia Conyer, R. (coord.), *Las adicciones: dimensión, impacto y perspectiva*, México, El Manual Moderno, 1994.

Tappan, J., "¿Despenalizar la mariguana?", en *La Jornada*, México, 16 de mayo de 1993.

Trejo, A., "Llegan cocaína y *crack* a los niños", en *Reforma*, México, 10 de enero de 1996.

Werner, D. y G. Bataillon, "El árbol de la droga", en *Nexos*, núm. 156, México, 1990.

Zamarripa, R. y S. Pérez, "El narco y su espacio", en *Reforma*, México, 20 de agosto de 1995.

Créditos de ilustraciones:
Aguilera, Carmen, *Flora y fauna mexicana. Mitología y tradiciones*, León, España, Everest Mexicana, 1985 (Raíces Mexicanas), p. 5. Arribas, Puras Carlos *et al.*, 3o. *Biología y geología, Ciencias de la naturaleza*, Madrid, Luis Vives, 1995, pp. 12 y 13. *Cerebro y conducta*, Barcelona, Salvat, 1973 (Biblioteca Salvat de Grandes Temas, 30), pp. 26 y 32. Charbonneaux, Jean, Rolan Martin y Francois Villard, *Grecia Helenística*, traducción de José Antonio Miguez, Madrid, Aguilar, 1971, pp. 4 y 6. Dusek, Dorothy y Daniel A. Girdano, *Drogas*, traducción de Pilar Candela Martín, México, Fondo Educativo Interamericano, 1983, pp. 22 y 34. *El cine, arte e industria*, Barcelona, Salvat, 1973 (Biblioteca Salvat de Grandes Temas, 5), p. 46. *Enciclopedia de las ciencias*, vol. 9, México, Cumbre, s/a, pp. 17, 21, 37. Furst, Peter *et al.*, *Hongos. Especies alucinógenas*, México, Diana, 1995 (Enciclopedia de las drogas psicoactivas), pp. 28 y 47. *Historia ilustrada del siglo xx, 1961-1967*, t. 10, México, Cumbre, 1985, pp. 15 y 49. Johnson, Hugh, *Wine*, Nueva York, Simon and Schuster, 1966, p. 7. *Los porqués de la mente humana*, México, Reader's Digest, 1991, pp. 41 y 43. *Nueva enciclopedia temática, el mundo del estudiante*, t. 4, México, Cumbre, 1986, p. 39. *Pequeño Larousse en color*, por Ramón García-Pelayo y Gross, México, Larousse, 1994, p. 10. Pownall, Mark, *Inhalants*, Londres, Gloucester Press, 1987 (Understanding drugs), p. 38. Priestley, J.B., *El hombre y el tiempo*, traducción de Juan García Puente, Madrid, Aguilar, 1969, p. 24. Rowan, Wilson John *et al.*, *La mente*, México, Life, 1968, p. 11. Secretaría de Educación Pública, *Orígenes y efectos de las adicciones*, Antología de la revista *Addictus*, México, SEP, 1997, p. 14. *Understandixng Psychology*, Del Mar, California, CRM Books, 1974, pp. 19 y 31. *Ajo Blanco*, número 61, marzo de 1994, p. 36. Calendario Centros de Integración Juvenil, A. C., pp. 58, 59 y 60. *El Financiero*, México, jueves 13 de mayo de 1999, pp. 50 y 51. *Leer. El magazine literario*, Madrid, número 92, invierno de 1997, p. 35. *Liber Addictus*, México, número 18, abril-mayo de 1998, p. 52. *Liber Addictus*, México, número 20, junio-julio de 1998, p. 45. *Liber Addictus*, México, número 21, julio-agosto de 1998, pp. 25, 33 y 48. *Liber Addictus*, México, número 22, septiembre de 1998, p. 56. *Liber Addictus*, México, número 23, octubre de 1998, pp. 8 y 46. *Liber Addictus*, México, número 24, noviembre de 1998, pp. 30 y 55. *Muy Interesante*, México, año 2, número 14, octubre de 1984, pp. 8 y 9. *Muy Interesante*, México, año 4, número 2, febrero de 1987, p. 23. *Muy Interesante*, México, año VII, número 2, febrero de 1990, p. 40. *Novedades*, martes 11 de mayo de 1999, p. 53. *Quimera*, Barcelona, número 171, julio-agosto de 1998, p. 29. Tríptico del Hospital Ángeles del Pedregal, p. 44. Tecla Ulloa, pp. 20 y 54. Rubén Pax, p. 57. Marco Mijares, p. 61.

Diseño de portada: Berta Helena de Buen

Diseño de interiores: Cecilia Cota

Coordinación: Rosalía Chavelas

Corrección: Carlos Valdés Ortiz

Investigación iconográfica: Juan Carlos Hernández Vera

Fotomecánica, impresión y encuadernación: Ediciones Corunda, S.A. de C.V.

Cuidado de producción: José Francisco Rosas García

Esta obra la terminó de imprimir
la Dirección General de Publicaciones
del Consejo Nacional para la Cultura y las Artes
en la ciudad de México,
durante el mes de enero de 2000
con un tiraje de 10 000 ejemplares.

La DGP del Conaculta ha procurado establecer contacto con todos los titulares de los derechos de autor que conciernen a esta obra. Anticipadamente pide una disculpa si ha cometido alguna omisión y se compromete a enmendar fallas en ediciones futuras.